始 發

비로소 시　필 발

비로소 피어나다

차례

낙화

落花

0

수평선에 걸쳐진 노을을 보았다. 딱 한 달 동안만 도망치고 싶었다. 더도 말고, 덜도 말고. 딱 그 정도만. 아무런 걱정도, 아픔도, 슬픔도 없는 곳으로 가서 딱 한 달만 숨 쉬고 싶었다. 서너 개의 알바를 뛰지도, 집주인 아주머니께 매번 죄송하다며 고개를 조아리지도, 지겨운 사랑놀이도 하지 않아도 되는.

그 도망을 지금 내가 치고 있다.

0

어쩌면 난 사랑한다는 말 대신,
살아있다는 말을 듣고 싶었는지도 몰라.

사랑한다, 좋아한다. 그런 뻔한 말이 아닌
내가 살아있다는 걸 너에게 인정받고 싶었는지도 몰라.

사랑하고 싶지 않아.

1

띡-. 띡-. 오천팔백 원입니다.

봉투 드릴까요.

안녕히 가세요.

하루에 세 개의 알바와 여섯 번의 죄송합니다, 대충 백몇 번의 고개 숙인 인사를 마치면 나에게 돌아오는 것은 사람 한 명이 간신히 누울 수 있는 집이다.

내 나이 스무 살에 조실부모하고 사고무탁하여…. 대충 어려서부터 할머니 손에 컸다. 할머니는 항상 나를 가여워했고, 주변 아이들은 부모 없는 애라며 지껄였다. 그래도 괜찮았다. 나에겐 할머니가 있었으니까. 할머니는 그런 나를 사랑해주었고, 난 할머니가 전부였다. 정말 내 전부. 고등학교 2학년이 됐을 무렵. 할머니는 내 곁을 떠났다. 나는 친척도, 돈도 없었다. 할머니의 장례는 신속하고 빠르게 진행되었다. 그 흔한 사진 하나 찍을 돈이 없어서 할머니의 장례 사진은 없었다. 할머니를 기억하는 사람도 존재하지 않았다. 어쩌면 이 넓은 우주에서 할머니의 미소를 기억하는 사람은 나뿐일 것이다.

드라마에서 나오는 가난은 분명한 허구이다. 진짜 가난은 드라마

보다 더 찢어졌고, 참담했다. 기적이라는 것은 없다. 신은 존재하지 않는다.

할머니의 장례식이 끝나고 난 후, 곧바로 난 고등학교 자퇴를 하고서 일자리부터 찾아다녔다. 선생님께서는 대학을 권유하셨지만, 나의 상황으로는 대학을 간다는 건 말도 안 되는 일이었다. 할 수 있는 알바는 모두 뛰었다. 갈비뼈는 점점 선명해졌다. 날개뼈는 튀어나와 누우면 아플 정도였다. 알바 세 탕을 뛰어서 받는 돈들로 월세를 냈다. 남은 돈은 먹지도, 사지도 않고 꾸역꾸역 모았다. 이유는 없었다. 그냥…. 그래야만 할 것 같았다. 언젠가 다시 학교를 다닐 수 있지 않을까 하는 기대감이었을 지도 모른다.

열아홉. 누군가에게는 낭만의 마지막 십 대 시절일 것이고, 누군가에게는 자살하기 딱 좋은 나이일 것이다. 그날 밤은 유독 추웠다. 한 칸 남짓한 집엔 시계 초침 소리가 울려댔다.

째깍-. 째깍-.

자정이 울리는 소리와 함께 새로운 날이 시작되었다. 오늘 밤이 유독 추웠던 이유도, 코가 찡해졌던 이유도.

오늘이 내 생일이라서일까. 매년 할머니와 함께했던 나의 생일에는 이제 나라는 사람만 남아있었다.

0

대학을 들어오고 단 한 번도 연애를 쉰 적이 없다. 오는 사람은 안 막았고, 가는 사람은 잡지 않았다. 부모님이 이혼하셨을 때, 난 당당히 독립을 선언했다. 고등학교 2학년 여름이었다.

밖에선 매미 소리가 들려왔고 온몸은 끈적였다. 부모님은 무슨 소리냐며 말리셨다. 화를 내시며 집안을 달궜다. 하지만 그리 오래가진 못했다. 나를 떠난다는 사람은 잡지 않았다. 굳이 사랑해달라고 빌지도 않았다. 그렇다고 잘 살길 바라지도 않았다.

나의 마음. 그 반의 반. 그 반의 반의 반. 딱 절반만. 그냥 살았으면 하는 마음이 컸다.

대학교 3학년이 된 지금. 어머니는 새로운 사람을 만나셔서 재혼을 하셨다. 아버지는 죽기 전에 해보고 싶은 게 많으시다며 몇 달째 해외에 나가계신다. 분명 죽을 만큼 사랑하셨을 텐데. 서로가 아니면 안 될 것 같으셨다고 하셨는데. 어찌 보니 갈라서신 지금이 더욱 행복해 보이신다.

난 생활비를 벌기 위해 2개의 알바를 뛰면서 대학생 생활을 하고 있다. 몇 달 전, 꽤 오랫동안 만난 애인과 이별을 맞이했다. 미안하다며 울었다. 그리곤 왼손 약지에 끼워져 있던 커플링을 빼 나의 손에 올려주었다. 그 반지를 보곤 헛구역질이 나올 것만 같았다. 무언가라도 뱉어내야만 할 것 같았다. 눈물이 핑 돌았다. 눈에 있는 실핏줄들이 다 터져버린 것만 같았다. 한 번도 이런 적이 없었다. 눈가에 고여있던 눈물이 마침내 떨어졌을 때, 처음으로 슬픔을 느꼈다.

세상 모든 사람들은 이런 슬픔을 느끼고 사는 것인가. 숨이 조여오고 머릿속은 새하얘졌다.

떨궜던 고개를 다시 들어보니 그 애는 뒤돌아 한참을 걸어가 있었다. 그때가 그 애의 뒷모습을 처음이자 마지막으로 본 순간일 것이다.

휴식이 필요하다. 아무런 생각도 하고 싶지 않다. 그냥…. 그냥 좀 쉬고 싶었다.

묵직한 주머니에서 반지 한 쌍을 꺼내 들었다. 반짝이는 반지들 사이로 보이는 두 명의 이니셜. 이제 다시는 붙어 있을 수 없는 알파벳.

반지를 한참이나 바라보곤 그대로 바다로 던져 버렸다. 한 쌍의 반지는 바닷물 저 안으로 빠진다. 더욱 깊이. 더욱 어두운 곳으로.

앞으로는 사랑 따윈 하지 않을 거라고.

1

그날 나는 죽기로 했다. 그날따라 발걸음은 가벼웠고, 가슴에 구
멍이 뚫린 듯 시원했다.

아, 시렸다는 말이 더 맞을 수도.

집에서 나가는 순간엔 이제 정말 다 끝났다는 생각을 했고, 비싸
서 한 번도 타보지 않았던 택시를 탔을 때는 정말 이래도 되나 싶
은 불안감에 휩싸였고.

새벽녘 다리 한가운데 서서 흐르는 강물을 보고 있을 땐 공포심
에 눈물이 차올랐고, 신발을 벗고 난간을 잡았을 때 누군가가 나를
붙잡는 감각에 좌절했다.

이거 아니잖아요. 이건 정말 아니잖아요. 살아줘요, 제발.

그 사람은 나를 보며 울어댔다. 그 모습을 보고 있으니 목 저 안
에 자리 잡고 있는 검은색 덩어리들이 올라올 것만 같았다. 그 사람
에게선 알코올 향이 났고, 코는 무척 빨갰다. 나를 붙잡고 있는 손
은 덜덜 떨리고 있었다. 난 그 자리에 주저앉았다. 참고 있던 눈물
이 봇물 터지듯 쏟아져 나왔다.

정말 죽고 싶었다. 무엇을 바라보고 사는 지도 모르겠고, 그냥 다
형편없었다. 이번 생은 너무 가혹하다고. 그냥…. 사랑받고 사는 어

린아이처럼 살고 싶다고. 힘듦이라곤 모르는 부잣집 자식처럼, 항상 해맑은 평범한 학생처럼, 엄마, 아빠라고 부르면 웃으며 나를 바라봐 주는 사람이 있는 사람처럼. 이 빌어먹을 인생에서 이제 그만 없어지고 싶다고. 그 자리에서 울부짖었다.

할머니, 나 너무 죽고 싶은데 어떡하지. 난 이제 어떻게 살아야 하는 거지. 더는 버틸 자신이 없는데 왜 자꾸 나한테만 이런 일이 일어나는 거지. 할머니, 제발. 나 좀 데리고 가줘.

1

그날 무슨 정신으로 집까지 걸어왔는지 기억이 나지 않는다. 집에 도착하고 나서 쓰러지듯 잠이 들었다. 꿈속에서 할머니가 나왔다. 꿈속의 할머니는 아름다운 미소를 보이고 계셨다. 난 울고 있는 어린아이였다. 할머니는 그런 나를 꼭 안아주셨다.

진아, 세상은 뜻대로 되지 않는단다. 세상을 이길 순 없어. 하지만 네가 너의 세상을 만들 순 있단다. 진아, 항상 이겨낼 필요는 없단다. 진아, 진아.

그 꿈에서 깨어나고 한참을 울었다. 할머니의 부름이 귀에 맴돌았다.

그날 이후, 다니던 알바를 모두 그만두었다. 한 칸짜리 서울 집도 계약을 해지했다. 조그마한 여행용 가방에 옷가지를 싸기 시작했다. 애초에 가진 게 없었다. 십 분도 채 되지 않아 짐들은 모두 가방 안으로 들어갔다. 굽은 허리를 폈다. 자리에서 일어나 핸드폰과 삼천몇백 원이 들어있는 지갑을 주머니에 쑤셔 넣었다. 빈방이 된 집을 훑어보았다. 무언가 탁 트이는 기분. 그러면서도 폐가 꽉 막히는 기분. 큰 숨을 들이시곤 집 밖을 나왔다. 서늘한 공기가 온몸을 감쌌다.

큰길로 나가는 골목길에 큰 주택 한 채가 있다. 그곳에는 5살 정도로 보이는 아들이 뛰어노는데 그 모습이 참으로 아름다웠다. 그런데 그 아이가 얼마 전부터 보이지 않았다. 그리고 얼마 안 가 그곳은 빈집이 되었다. 무언가 없어진 느낌. 가진 적도 있었던 적도 없지만 어린 나에게 희망이 되었던 것이 한순간에 사라진 느낌. 남은 거라곤 담벼락에 개화한 능소화뿐이었다.

매표소에 도착했을 때 처음 들어보는 섬을 가는 표를 달라고 했다. 직원은 한참이나 이상한 눈으로 쳐다보곤 표를 끊어주었다.

이 섬에 가서 무엇을 먹고 살지, 무엇을 할지 아무것도 알 수 없다. 그냥…. 지금 당장 도망을 치고 싶었다. 이 뭣 같은 삶을 어떻게라도 회피하고 싶었다. 그냥 좀……. 살고 싶었다.

1

지금까지 한 이야기가 이 섬에 오게 된 이유이다. 처음 이 섬에 오게 된 날, 갈 곳이 없었다. 잘 곳도 없었다. 관광객도 잘 오지 않는 섬이기에 모텔은 보이지 않았고, 아는 사람이 있지도 않은 나는 영락없는 노숙자였다.

초등학교 앞엔 조그마한 놀이터가 있었다. 난 그곳으로 천천히 걸어갔다. 정자에 앉아 두 눈을 꾹 눌렀다. 그리곤 정자에 몸을 뉘었다. 아이들의 쨍쨍거리는 소리와 가을바람에 낙엽들은 흩날렸다. 평온했다. 따스웠다. 장장 십구 년을 살면서 한 번도 느껴보지 못한 기분이었다. 두 눈을 감았다. 지금, 이 순간만큼은 살길 잘했다는 생각이 들었다.

누군가가 나를 흔드는 느낌에 눈을 떴다. 하늘이 조금 어두워진 거 같기도 하다. 두 눈을 손으로 닦으니 눈물이 묻어나왔다. 아무래도 꿈을 꾼 모양이다. 자리에서 일어나니 어떤 아주머니께서 걱정하는 눈빛을 보내셨다.

처음 보는 젊은이인디…. 왜 여기서 울고 있어. 여기서 자문 입 돌아가잉.

아무런 말도 못 하는 나를 보던 아주머니께서는 잘 곳은 있냐며 물어오셨고, 나는 고개를 저었다. 아주머니께선 내 손목을 쥐곤 어디론가 데리고 가셨다.

거의 끌려오다시피 식탁에 앉았다. 아주머니께선 분주히 무언갈 하셨고, 난 멀뚱히 앉아 있을 수밖에 없었다. 이내 식탁에는 반찬이 하나둘씩 올라왔고, 밥그릇엔 따뜻한 쌀밥이 담겨있었다. 아주머닌 얼른 먹으라며 재촉하셨다. 난 숟가락을 들어 밥을 크게 떠올려 입에 넣었다. 따뜻한 밥이 얼마 만인지 모르겠다. 제대로 된 밥을 먹은 게 언제인지 잘 기억나지도 않는다. 그냥 쌀밥만 입에 욱여넣었다. 아무런 맛도 나지 않는 쌀에서 달콤한 맛이 절로 났다. 너무 따뜻했다. 눈물샘이 고장 난 것만 같았다. 눈물이 자꾸만 흘러 식탁이 더러워졌다. 어디서 오는 슬픔인지도 모르겠다. 삶이 너무 바빠서 우는 방법도 까먹었다. 울면서 숨을 쉬는 방법도 생각나지 않았다. 숨이 막혀 자꾸만 헐떡였다. 두 눈을 벅벅 닦아댔다. 아주머닌 그런 나를 보곤 아무런 말도 하지 않으셨다. 그저 꺽꺽거리는 나에게 미지근한 보리차를 내밀어 주실 뿐이었다.

아주머니 덕분에 잠을 잘 곳이 생겼다. 아주머니께서는 제 아들이 독립하고 나서부터는 쓰지 않는 방이 있다며 지낼 곳이 없으면 그곳에서 지내도 된다며 흔쾌히 방을 내주셨고, 나는 지금 그 방 침대에 몸을 뉘었다. 짧은 시간에 너무 많은 일들이 일어났다. 천장을 바라보았다. 무언가 하나씩 빠져나가는 기분이었다. 나쁜 기분은 아니었다. 그렇다고 좋은 기분도 아니었지만…. 이상한 느낌이었다. 체했던 게 쑥 내려가는 기분 같기도 했고…. 검은 덩어리들을 뱉어낸 기분 같기도……. 눈이 사르르 감기기 시작했다. 무슨 기분이었는지는 자고 일어나서 생각해보기로 했다.

꿈에서 엄마가 나왔다. 중학교를 들어갔을 무렵 난 부모님을 잃었다. 사고였다. 엄마는 오랜만에 가는 여행이라며 잔뜩 신나 하셨다. 신이 난 엄마를 보곤 나도 덩달아 기분이 좋아졌다. 우리 집은 잘살지도, 못 살지도 않았다. 딱 평범. 그 이상도 이하도 아닌. 가정에 충실하신 아빠와 언제나 나를 사랑하는 눈빛으로 바라봐 주는 엄마. 그런 지극히 평범하고 행복한 가족이었다. 하지만 그날, 나의 평범은 사라졌다. 정신을 차려보니 할머니께선 나의 손을 꼭 붙들고 계셨고, 부모님은 보이지 않았다. 머리는 울려 깨질 것만 같았고, 온몸은 성한 데가 없었다. 부모님이 돌아가신 건 내가 병원에 입원한 지 한 달이 다 되어갔을 때였다. 난 그 자리에서 숨도 못 쉬고 울어댔다. 혼자 남은 것이 슬퍼서가 아니라 엄마, 아빠가 너무 가여워서. 앞으로 펼쳐질 세계를 나만 누릴 수 있어서. 울음은 멈추지 않았다. 속 안에 있는 것을 모두 게워내곤 정신을 잃었다. 눈을 떴을 땐, 할머니의 품속이었다.

잠에서 깨어나곤 한참을 움직일 수 없었다. 엄마가 나에게 무어라 말을 한 거 같은데…. 도저히 기억이 나지 않았다.

갑자기 엄마가 끓여주던 김치찌개가 너무 먹고 싶었다.
엄마의 살 냄새가 그리워졌다.

0

한참을 해구에서 바다를 바라보다가 집으로 돌아왔다. 내가 도망친 곳은 아주 작은 섬이었다. 언제 한 번 기사에서 봤던 섬인 것 같기도…. 이곳은 와이파이가 되지도 않고, 에어컨도 없었다. 이제 곧 겨울이라 다행인가.

이 섬에 도착하자마자 이곳저곳을 다니며 민박을 찾아다녔지만, 이 작고 외로운 섬에는 그런 건 존재하지 않았다. 다시 돌아가야 하나 생각하며 아이스크림이나 물곤 슈퍼 앞 평상에 누워있었다.

자네는 어디서 왔는겨?

슈퍼 아주머니께선 그런 나를 보곤 말을 걸어오셨다.

서울이요.
잘 곳은 있고잉?

나는 울상을 지으며 고개를 저어댔다. 아주머니께선 그런 나를 바라보며 웃음을 터트리셨다.

우리 집 옥탑방에 들어와서 살어. 쪼만해도 있을 건 다 있어잉.

난 아주머니의 말을 듣곤 자리에서 벌떡 일어났다. 정말 그래도 되냐며 한참을 감사드린다며 고개를 숙였다. 아주머닌 호탕하게 웃으시며 열쇠를 건네주실 뿐이었다.

옥탑방은 크지도 작지도 않았다. 성인 남성 한 명이 쓰기엔 적당한 크기였다. 옥탑방 안에는 싱크대와 가스레인지, 침대가 있었고, 옥탑방 밖에는 아주머니께서 가꾸시는 방울토마토와 꽃들이 있었고, 누워있기 좋은 평상이 있었다.

대충 짐을 풀었다. 조금만 가져온다고 챙겼지만, 짐이 한가득 있었다. 그리곤 옥탑방 문을 활짝 열었다. 시원한 바람이 온 집 안을 휩쓸었다. 기지개를 쭉 펼치고 폐 깊숙이 공기를 집어넣었다. 주택들 사이로 보이는 바다는 황홀했다. 평상에 몸을 뉘니 높은 하늘이 보였다. 내가 원하던 휴식이다. 아무런 잡생각이 나지 않았다.

평화로웠다. 그로 말미암아 청춘일까. 나의 청춘은 아직 진행 중일까. 자리에서 일어나 앉았다. 차가운 공기를 폐 깊숙이 집어넣었다. 연초로 인해 거멓게 변해버렸을 장기들이 차가운 공기와 닿으며 움찔거리는 느낌이랄까. *바스락-.* 주머니에 손을 넣으니 만져지는 담뱃갑을 꺼냈다. 그리곤 마구 구겼다.

대학교 1학년, 들어온 지 얼마 되지 않았을 무렵. 정말 이거 아니면 죽을 것만 같아서 하나씩 피던 연초는 하나가 둘이 되고. 둘이 넷이 됐다. 어느새 한 갑이 되었다. 나의 폐는, 나의 장기는 이제 되돌릴 수 없을 정도로 썩어가고 있다.

그래서 구겨서 버렸다. 뭔가 저 담뱃갑 때문에 내 삶이 이렇게 된 것만 같아서. 지푸라기 하나라도 잡는 심정이랄까. 1년. 딱 1년 후면 돌아갈 서울이지만, 그 1년 동안은 현실의 나를 생각하고 싶지 않았다. 새로운 삶을 살아가고 싶었다. 그리고서 아무런 일도 없었다는 척 돌아가고 싶었다. *아-. 이제 진짜 그만 생각해야지.*

평상에서 내려와 기지개를 폈다. 그건 그거고 난 여기서 일주일은 버텨야 하기에. 당찬 발걸음으로 옥상을 내려왔다, 옥탑방 건물에서 조금만 내려오다 보면 마트가 있었다. 마트보다는 슈퍼가 맞는 표현일 수도. 큰 슈퍼? 음, 그 정도가 좋겠다.

당장 오늘 저녁을 해결해야 했기에 라면 한 봉지를 샀다. 계란과 파도 샀다. 이것저것 담다 보니 종량제 봉투가 가득 찼다. 서울에 있을 때도 항상 혼자서 장을 봤다. 애인이 생기고 나서는 둘이서 봤던 것 같기도. *아-. 아-.* 생각 안 하기로 했는데. 역시 하지 말자고 해서 생각이 안 나는 건 아닌가 보다.

이제 진짜 곧 겨울이 올 것 같다. 공기에서 겨울의 냄새가 옅지만 강하게 내 코를 때린다. 그러고 보니 곧 엄마 생신이었던 것 같은데…. 옥탑방에 가서 한 번 찾아봐야겠다.

0

이 섬에 온 지 일주일 째. 사실 오늘이 이 섬에서 나가는 날이다. 아니, 날이었다. 하지만 나가고 싶지 않았다. 이 섬이 좋았다. 이 섬에 나가면 갈 곳도 없다. 이리저리 떠돌다가 서울로 돌아갈 게 뻔하다.

집 주인아주머니가 밤이면 항상 간식을 챙겨주는 것도 너무 좋았고, 동네 주민분들이랑 아침 인사하는 것도 좋고. 무엇보다도 바다를 보는 게 좋았다. 이 섬에 온 첫날, 동네를 탐색하다가 해구 옆 숲을 보았다. 그곳은 잔디가 예쁘게 깎여 있었고 흔들의자가 있었다. 흔들의자에 앉으면 넓은 바다가 한눈에 다 보였는데 너무 아름다웠다. 아름답다는 말로밖에 표현하지 못한다는 게 너무 분할 정도로.

그리고 습관이 생겼는데 밤 10시만 되면 평상에 앉아 오늘 하루를 돌아본다. 오늘의 나는 행복했는가, 어떠한 것을 보았는가. 뭐 그런 시답잖은 생각. 항상 끝은 그저 그랬다는 것으로 끝나긴 하지만.

오늘 밤은 유독 추웠다. 이제 정말 겨울이 오나 보다. 내가 이곳을 온 날이 10월 중순 언저리였는데. 벌써 10월 말이 찾아왔다. 오늘은 아주머니께 자전거를 빌려 섬 중심에 있는 초등학교를 들렀다. 그곳에는 몇 안 되는 아이들이 운동자를 누비고 있었다. *꺄르륵-* 거리는 소리를 듣고 있으니 어렸을 적으로 돌아간 것만 같은 기분이 들었다. 어렸을 때의 나는 내가 잘살 줄로만 알았다. 꽤 부유했던 우리 집이었으니 잘살 줄 알았다. 정말 잘 살 줄 알았다.

　하루가 고됐다. 딱히 하는 일은 없었지만, 무척 몸이 무거웠다. 감기가 들려고 그러는 건가. 감기는 잘 걸리지 않았었는데, 몸이 변한 건가. 그래서 오늘 밤은 일찍이 눈을 감았다. 깊은 잠에 빠지고 싶었다. 더욱 깊이.

1

이 섬에 온 지도 벌써 1년이 다 되어간다. 이젠 이 섬사람이라고 해도 무색할 정도로 섬에 계신 거의 모든 분이 나를 알고 계신다. 아주머니 일을 도와드리러 밭을 갈 때면 할머니들께서 이쁘게 생겼다며 이것저것 챙겨주신다. 이를테면 반찬이나 고구마, 떡 같은 거? 아주머니께서도 아들 같다며 저를 많이 아껴주신다. 저녁도 먹지 않고 잠이 들면 따뜻한 밥을 식탁에 챙겨주신다거나 잡생각에 빠져 침대 밖으로 나오지 않으면 저를 찾아오셔서 말없이 안아주신다.

그래서 두렵다. 무엇 하나 가져본 적 없는 저에게 가진 게 많아져서. 얻은 것이 많아 잃을 것이 많아서. 언젠가 이 섬을 떠나야 한다는 생각에 사로잡혀 버려서.

보름달이 뜨는 날이면 해구로 나갔다. 밝은 달로 인해 저 멀리 있는 수평선이 한눈에 들어왔고, 물에는 보름달이 비치어 황홀했다. 해구 옆 편으로 가면 방파제들이 모여 있다. 그 자리에 앉아 그냥 하염없이 흐르는 바다를 쳐다보곤 한다. 어떤 날에는 소원을 빌기도 하고, 어떤 날에는 정말 아무런 생각도 하지 않고 바라보기도 하고.

그리고 지금 난, 그 윤슬 앞에 서 있다.

가만히 바다를 보고 있다가 천천히 신발을 벗었다. 양말까지 모조리 벗곤 물에 발을 담갔다. 몸이 부들 떨렸다. 발끝부터 천천히 얼어가고 있는 느낌. 감각은 하나씩 사라지고 피는 덩어리가 져 얼어가고 있다. 눈에서는 눈물이 흘렀다. 빨간색인지, 투명색인지. 알 수조차 없었다. 행복해지고 싶다는 생각만으로 도망쳐 온 섬이었다. 분명 행복했다. 한 번도 느껴보지 못한 감정들이었다. 나를 좋아하는 사람들이 많았다. 근데 자꾸만…. 자꾸만 난 행복해서는 안 된다는 생각에 사로잡힌다. 난 그런 존재라고만 생각이 든다. 내가 죽어야 하는 이유를 적으라고 한다면 수백, 수천 개도 적을 수 있다. 그렇다고 내가 죽지 말아야 하는 이유는? 없다. 단, 한 개도. 죽어야 하는 이유는 수없이 많지만, 살아야 하는 이유는 존재하지 않는다. 내가 죽게 된다면 슬퍼할 사람이 있을까. 하늘에 계신 할머니? 우리 엄마, 아빠?

 물에서 발을 뺐다. 젖은 발은 거센 바람을 온전히 맞았다. 더 이상 어떠한 감각도 느껴지지 않았다. 입고 있던 가디건을 벗어 잘 개었다. 다시 입을 일은 없겠지만, 그냥. 이래야 할 것만 같아서. 가디건을 꼭 안았다. 내가 이곳에 있었다는, 내가 이 섬에 왔다는 흔적을 남겨선 안 된다. 그냥 잠시 왔다가 없어진. 그냥 기억 속에서 잊힐 사람으로만 남아야 한다. 두 눈을 감았다. 큰 숨을 들이켰다. 그때 숨이 갑자기 꽉 막혔다. 누군가가 나를 말리는 것처럼, 누가 나를 붙잡는 것처럼. 작년 나의 생일, 그 다리 위에서 죽기로 결심한 날. 그 술에 취한 남자가 날 말렸던 것처럼. 그 순간 그때 그 남자가 했던 말이 기억나고 말았다. 정말 이건 아니라며, 살아달라며. 처음 보는 나를 마치 자신과 친한 사람인 거 마냥 울부짖던 그 남자의 목소리가 들렸다. 그때도 지금도 그 남자는 날 살려내고 있었다. 이름도, 나이도 모르는 그 남자가. 나를 두 번이나 살려냈다.

그 자리에서 주저앉고 말았다. 다리에 있던 모든 힘이 빠져버렸다. 가디건을 꼭 끌어안고는 엉엉 울어댔다. 어린아이처럼. 목 놓아 울부짖었다.

1

가디건을 계속 쥐고 있었다는 사실을 방금 깨달았다. 엉엉 울던 나는 젖은 발을 운동화에 아무렇게나 구겨 넣은 채 집으로 걸어왔다. 망했다. 모든 게. 죽고 싶어도 죽을 수 없었다. 사랑받고 싶어도 사랑받을 수 없었다. 집에 도착했을 땐, 그 자리에서 무너져 내렸다. 더 이상 쏟아낼 눈물조차 없었다. 아주머니께서 보일러를 넣어두셨는지 방은 따뜻했다. 그 방이 꼭 나를 위로해주는 것만 같았다.

아주머니의 가게 건물 위 옥상에는 평상이 있었다. 그 자리에 앉아 있으면 섬이 한눈에 보였다. 드넓은 해구가 보였다. 매일 밤 창문 너머로 보이는 풍경이지만, 왠지 그곳에서 바라보는 바다가 더 아름답게 느껴졌다. 바다가 나를 구해줄 것만 같았다. 과연 나는 누군가에게 저 바다처럼 넓고 아름다운 사람이 될 수 있을까. 아마. 아니 절대. 다음 생이 있다면 드넓은 바다로 태어나고 싶다. 아름다운 파도로 태어나고 싶다. 사람으로 태어나고 싶지 않다. 사람으로 살아가고 싶지 않다. 더는 사랑을 갈구하고 싶지도 않다.

0

　오늘은 눈이 좀 빨리 떠졌다. 어젯밤 깊은 잠자리에 들고 싶다는 생각과 함께 기절한 듯 잠이 들어서일까? 상쾌하게 눈이 떠졌다. 침대 위를 더듬거리며 폰을 찾았다. 시간을 확인해보니 6시 반. 확실히 일찍 일어나 버렸다. 이 섬에 와서 이렇게까지 일찍 일어난 적이 있었나. 아무래도 어제 하루가 고됐나 보다. 침대에서 일어나 이부자리를 정리했다. 냉장고 문을 열어 생수를 마셨다. 그리곤 겉옷 하나를 걸쳤다. 기지개를 크게 한 번 피곤 밖으로 나갔다.

　처음 보는 사람이었다. 평상에 자리를 잡고 앉아 허리를 곧게 펴고 있었다. 순간 처음 보는 사람에 놀라 큰 숨을 먹어버렸다. 딸꾹질은 덤으로. 그 사람은 흠칫거리더니 나를 쳐다보았다. 똥그란 두 눈을 보이며 나를 보고 놀란 눈치였다. 예뻤다. 고양이 같은 눈과 맑은 눈동자, 날렵한 코와 앵두 같은 입술. 콕콕 박혀있는 점들. 한동안 그 사람을 뚫어지라 쳐다보다가 퍼뜩 정신을 차렸다.

　누…. 누구세요?

　아, 미친. 진짜 바보 같았다. 방금.

1

오늘은 이 섬에 온 지 딱 1년이 되는 날이다. 1년 전만 해도 꿈이 있었다. 언젠가 나도 남들처럼 평범하게 학교를 다닐 수 있을 거라는 꿈. 근데 이젠 …. 아무런 생각도 없다, 이제 내 꿈은 여기서 내 삶을 마감하는 것이다. 자살일 수도, 자연사일 수도. 지금 나는 행복한가. 사실 잘 모르겠다. 그냥 살아가는 거다. 지금 당장 죽을 용기는 나지 않고, 날 죽여줄 구원자는 없기에. 죽지 못해 살아가고 있다는 말이 알맞을 것이다.

1년…. 꽤 긴 시간 동안 이곳에 머물러 있었다. 작년 내 생일, 내가 그 다리가 아닌 다른 다리에 갔다면, 다리 위에서 그 남자를 만나지 않았더라면. 이 섬에서의 1년이란 세월은 상상도 못 했을 것이다. 괜히 기분이 이상했다. 진짜 이 섬이 맘에 들긴 한가보다.

그래서인지 오늘은 일찍 떠졌다. 몸도 가벼웠다. 피곤함이 전혀 없었다. 밖은 아직 해가 밝지 않았고 서늘한 바람이 살짝 열려있던 창문 틈 사이로 들어왔다. 숨은 잘 쉬어지는데 무언가가…. 나를 꾹 누르고 있는 듯한 느낌이 들었다. 물이 몸 가슴까지 차오른 느낌이랄까. 근데도 몸은 가볍게 느껴졌다. 참으로 이상한 느낌이었다.

가디건 하나를 입곤 방문을 열었다. 집 안은 고요했다. 모든 생명체가 잠들어있는 시간. 조심히 발을 내디뎠다. 먼지가 쌓인 LP 플레이어, 수많은 영양제들로 가득한 식탁, 내 눈에 하나씩 담았다. 마치

이 집을 떠나는 사람처럼. 내 발은 주방으로 향했다. 물 한 컵과 영양제들을 하나씩 꺼내 들었다. 한입 모조리 다 털어 넣곤 소파에 몸을 기댔다. 참, 웃기지. 죽고 싶다는 말을 입에 달고 사는 사람이면서 몸은 챙기라는 아주머니의 말에 다 세지도 못할 만큼의 영양제나 챙겨 먹는 내가.

고요하기 그지없는 집에 시계 초침 소리만 들려온다. 고요한 새벽이면 옛날 생각이 난다. 분명 잊어야지, 그만해야지 생각은 하지만 쉽게 없어지지 않는다. 아니, 어쩌면 내가 잊고 싶지 않은 걸 수도. 나까지 잊어버리면 정말 내 과거가 부정되는 기분이라서. 누구 하나는 기억해야만 할 것 같아서.

조용히 감겨있던 눈을 떴다. 조금 밝아진 밖을 쳐다보았다. 지구에 있는 생명체들이 하나둘 꿈에서 깨어나기 시작한다. 조용히 소파에서 일어났다. 가디건의 두 팔에 내 팔을 구겨 넣었다. 그리곤 현관문을 열어 밖으로 향했다.

바깥의 공기는 시렸고 차가웠고 깨끗했다. 내 발이 향한 건 아주머니의 가게 옥상이었다. 계단을 올랐다. 다리가 너무 무거웠다. 분명 몸은 가벼운데 다리가 말썽이었다. 가디건 주머니에 손을 집어넣곤 평상 위에 자리를 잡았다. 크게 숨을 쉬어봤지만, 답답하기 그지없었다. 그때였다. *덜커덩-.* 하는 소리와 함께 옥탑방 문이 열리는 것 같았다. 아주머닌가? 뒤를 돌았다. 곧 어떠한 인영이 보였고, 눈의 초점이 잡혔을 때 남성의 얼굴이 보였다. 그 남자였다. 틀림없이 그 남자였다. 술에 취해 몸도 똑바로 가누지 못하고, 발음을 실실 새면서 나를 보며 살아달라고 애원하던 그 남자. 죽으려던 나를 두 번이나 살려낸 그 남자. 그 남자가 지금 내 눈앞에 있었다.

누…. 누구세요?

조용한 정적은 그 남자의 목소리로 인해 깨졌다. 그제야 내가 그 남자를 뚫어지게 쳐다보고 있었다는 것을 깨달았다. 놀란 마음에 죄송하다며 자리에서 일어나 옥상을 내려가려고 했다. 아니, 근데 내가 내려가는 게 맞나? 그래, 맞지. 그때 나의 팔이 붙들렸다.

여기…. 여기 있으셔도 돼요.
네?

아씨, 방금 완전 바보 같았다.

오늘만 오신 거 아닌 거 같은데. 그냥 계셔도 돼요. 저도 혼자라서 심심했거든요.

혹시나 나를 기억하는 줄 알고 놀랐다. 이 남자는 날 기억하지 못한다. 아무래도 술에 취해있었으니…. 남자는 모르는 나에게 호의를 베푼다. 내가 뭘 할 줄 알고.
평상에 자리를 잡곤 앉았다. 몸이 부들 떨렸다.

춥죠? 이거라도….

얇은 이불을 건넸다. 진짜 아무리 생각해도 남에게 친절한 사람인 것 같다. 이것도 아주 많이. 그 남자는 옛날이나 지금이나 모르는 사람인 나를 너무나 잘 알고 있었다.

저기…. 이름이 뭐예요?

한동안 아무런 말도 하지 못했다. 내 이름이 무엇이었는지도 잘 기억이 나지 않는다. 내 이름을 내 입에 마지막으로 꺼낸 게 언제인지도 모르겠다. 생각했다. 내 이름. 생각하려고 애썼다. 부모님이 지어주신 내 이름.

선우진

선우진이요. 제 이름. 그쪽은요?
네…. 네?

무지 바보 같은 사람이라고 생각했다. 그 모습이 좀… 웃겼다.

그쪽 이름은 뭐냐구요.

0

새들이 *짹짹-* 거리는 소리와 을씨년스러운 바람이 부는 소리가 들려왔다. 정적을 깨는 그 애의 목소리에 집중했다. 선우진. 예쁜 이름이었다. 그 애는 자신의 이름을 말하며 나를 쳐다보았다. 그 눈에 익사할 것만 같았다. 너무나 깊었다.

그쪽은요?
그쪽 이름은 뭐냐구요.

한이요. 정한. 외자예요.

그럼 저 하나만 저 물어도 돼요?
몇 살이에요? 전 23살.

비밀이요.
예?
아, 전 알려드렸는데….
누가 알려주래요?

그 애는 장난 가득한 목소리로 나를 보며 웃었다.

1

나이는 알려주지 않았다. 말할 엄두가 나지 않았다. 내 곁에 있는 모든 사람은 날 떠났으니까. 나라는 사람에 대해서 더 이야기 해버리면 날 버리고 떠나버릴 것만 같아서. 좋은 사람인 것 같아서, 나 때문에 안 좋은 일을 겪지 않았으면 해서. 그냥 비밀이라고 했다. 평생 알려줄 수 없는 비밀.

이 섬에 사는 거예요? 여기에 평상 있는 걸 아는 사람이면 가게 아주머니랑 친하신 건가?

그것도 비밀.

아니, 죄다 비밀이래.

투덜거리는 정한의 얼굴을 보니 웃음이 났다. 어린 애도 아니고.

아침이 시작되는 것 같다. 바다에선 배들의 항구 소리가 나기 시작했다. 이제 또 하루를 살아가야 하는 시간이 돌아왔다.

죄송한데요, 뭐 하나만 부탁드려도 될까요?

네. 뭐든요.

제가 새벽마다 여기 와서 앉아 있어도 될까요. 앉아만 있다가 갈 거예요. 시끄럽게 하지도 않을게요.

네, 뭐…. 상관없어요. 시끄럽게 떠드셔도 돼요. 이참에 일찍 일어나는 연습 하죠, 뭐.

내가 뭐라고 저렇게까지 대답을 해주는 건지 정말이지 이상한 사람이었다. 입꼬리가 올라갈 뻔했다. 나 주제에 무슨.

0

그러면 우진씨라고 부르면 될까요?

아, 저도 외자예요. 성이 선우, 이름이 진.

그럼 진이씨라고 부르면 되겠네요.

네…. 뭐.

멋쩍은 표정을 보이는 진이씨는 웃겼다. 누가 봐도 낯을 엄청나게 가리는 사람인 것 같았다.

어려 보이는 그 애를 보니 마치 나의 어렸을 때를 보는 것만 같 았다. 괜찮아 보이지만, 어딘가 하나 이상한 느낌. 불완전하고 위태 로워 보이는 느낌이랄까. 괜히 지켜주어야 할 것만 같고 보듬어 주 어야 할 것만 같았다.

괜한 오지랖이겠지만, 그게 나의 그 애에 대한 첫 감상평이다.

1

고등학교 자퇴를 하고서 바로 알바를 뛰었을 때, 처음으로 애인이 생긴 적이 있다. 그 아이는 나처럼 자퇴를 하고서 돈을 벌고 있는 사람이었다. 그냥 나와 비슷한 아이구나 생각했다. 솔직히 연애는 생각도 하지 않았지. 이런 처지에 무슨 연애인가.

작업을 하다 보면 이야기를 나눌 일도 별로 없었다. 그 아이와의 첫 번째 대화는 점심시간이었다. 그 아이가 처음으로 다가와서 말을 걸었다.

몇 살이냐 묻는 그 아이에게 대답하니 자기와 동갑이라며 좋아했다. 그렇게 우린 친해져 갔다. 일이 일찍 끝나는 날에는 공장 앞 포장마차에서 파는 어묵 몇 개를 먹었고, 누구 하나 먼저 끝나는 날에는 꿋꿋이 서로의 옆을 지켰다.

그렇게 하자고 약속한 사람은 없었다. 그냥 그렇게 해야만 할 것 같았다. 그렇지 않으면 안 될 것만 같았다.

그 아이를 만난 건 겨울이었다. 그해의 겨울은 가장 추웠다. 텔레비전에서는 한파라고 울려댔다. 하지만 난 그해 겨울이 가장 따뜻했다. 왜인지는 모르겠다.

겨울이 봄이 되고, 봄이 여름이 됐을 무렵. 그 아이는 나에게 고백을 하였다. 날씨는 한없이 무더웠고 우리의 옷은 처음 만난 그날에 비해 한참 짧아져 있었다.

볼을 붉히며 말하는 그 애를 보고서 생각했다. 어쩌면 사랑. 그거 어렵지 않을지도 모르겠다고. 제대로 배워본 적 없어도 할 수 있을 거라고.

그 아이와 정말 연애를 했다. 아니, 남들의 연애를 흉내 냈다. 영화도 보고, 밥도 먹고. 손도 잡고, 키스도 했다. 사랑도 하려고 했다.

근데 안 되더라. 그게. 손도 잡고, 포옹도 하는데. 사랑, 그게 안 되더라. 사랑을 못 배운 애들은 못 하는 게 맞다. 할 수 있을 거라는 나의 오만이었다.

그해 겨울, 그 애에게 이별을 고했다. 그날은 겨울비가 내렸다. 시린 바람이 불어왔다. 그 아이의 눈에선 눈물이 흘렀다. 하지만 난 닦아줄 수 없었다.

해구를 보며 그 아이가 생각이 났다. 지금쯤, 그 아이는 무엇을 하고 있을까. 단 하나. 나보다 더욱 멋있는 사람을 만나고 있을 것이다. 이 하나는 장담할 수 있다. 아니, 장담해야만 한다.

그 아이와 헤어지고 나서도 연락을 주고받았었다. 연인이기 이전엔, 친구였으니 말이다. 근데 그마저도 작년 여름에 끊겼다. 전화번호가 바뀌었는지 그 아이의 전화번호는 없는 번호라고 떴다.

더는 어떻게 살아가고 있는지, 좋은 사람은 만나고 있는지 알 방도가 없다.

어쩌면 사랑보단 우정에 가까웠을지도
우정보단 동정이었을지도

그냥 헷갈렸었다고 하자
그냥 어렸었다고 하자

그렇게 세월에 우리를 묻어버리자

1

정한이 이 섬에 온 지도 벌써 열흘이 지났을 거다. 아마도 그쯤. 난 오늘도 어김없이 평상을 찾았다. 일주일에 한 번 정도 왔었던 옥상인데 왜인지 요즘 따라 아침이 되면 발길이 이곳을 닿았다.

옥상 계단을 오르는 다리가 유독 가벼웠다. 마치 작년 내 생일, 그 다리 위를 올랐을 때처럼. 온몸의 피와 근육들이 사라져 텅 비어 있는 기분이랄까. 하지만 오늘은 뭔가 다른 느낌이다.

그날 이후, 내가 새벽에 옥상을 찾아 평상에 앉아 있으면 정한은 옥탑방 문을 열고 나왔다. 눈은 제대로 뜨지도 못한 채, 머리는 여기저기 삐죽삐죽 튀어나와 있었다. 그런데 오늘은 달랐다. 정한은 후드 집업을 덮어쓰곤 옥상 난간에 서 있었다. 일찍 눈이 떠진 건가. 일주일 정도 정한을 본 감상평은. 음…. 정이 많은 사람인 것 같다. 그리고 서울 사람인 것 같기도 하고. 부잣집 자식 같은 느낌이랄까.

옥상에 서서 해구를 바라보고 있는 정한의 표정은 보이지 않았지만, 무언가 심각해 보이는 것도 같았다.

정한은 뒤를 돌았고 두 눈이 마주쳤다. 우리 둘은 아무런 말도, 아무런 행동도 하지 않았다. 정한의 두 눈엔 꼭 바다가 있는 것만 같았다. 그 눈에 익사할 것만 같았고 그 바닷속을 유영하고 싶었다.

44

0

그 애를 따라 새벽녘에 일어나면서부터 항상 6시만 되면 두 눈이 떠졌다. 누군가 조용히 나를 깨우는 것만 같았다. 아침잠이 많았던 저가 저절로 새벽녘에 눈이 떠지다니. 감격스럽다고 해야 할까나.

오늘은 이상하게도 5시에 눈이 떠졌다. 차가운 바람이 내 등을 훑는 느낌에 눈이 떠졌다. 암흑처럼 어두운 방을 두리번대다가 손을 휘저어 폰을 찾았다. 화면이 켜지니 갑자기 밝아진 탓에 눈을 찡그렸다. 5시 11분. 이른 시간이었다. 다시 잘까 생각하였지만, 잠은 오지 않았다.

수두룩한 알람들을 하나씩 씹어보다가 엄마의 문자 메시지가 보였다.

엄마
네가 하고 싶은 걸 하고 살아. 눈치 보지 말고. 02:15

그냥 그게 제일 눈에 띄었다. 그 늦은 새벽 시간에 보낸 어머니는 어떠한 말을 하고 싶었던 걸까. 내가 하고 싶은 거라. 하고 싶은 걸 하면서 살아본 적은 있나. 내가 하고 싶은 게 뭐지. 하고 싶은 게 있었나. 나의 원동력은 무엇이더라. 나는 왜 살아가고 있지.

어머니는 항상 말씀하셨다. 자신이 시키는 일은 다 내가 잘 되길 바라서라고. 그래서 그냥 버텼다. 아니, 버틴 게 맞나. 그게 정상이라고 생각했다. 하라는 것만 하고, 시키는 대로만 살기.

　그래서 도망친 지금이 마냥 기분 좋지만은 않다. 이 세상의 이치를 깬 것만 같고 그렇다.

　휴학계를 내기 전 교수님이 주셨던 과제가 있었다. 기한은 올해가 끝나기 전. 이 교수님의 과제는 모두 기한이 길었기에 수강생들이 좋아했다. 이번 과제는 에리히 프롬의 행복의 기준을 읽고 자신의 행복을 글로 표현하기.

　에리히 프롬은 행복을 '소유적 실존 양식'과 '존재적 실존 양식'으로 나누었다. 프롬은 자신을 소유물과 동일시함으로써 세계와 일체감을 느끼는 '소유적 실존 양식'을 비판하였다. 이미 소유한 것은 더 이상 충족감을 줄 수 없으며, 소유를 통해서 인간이 행복한 삶을 산다는 것을 비판하였다. 프롬은 소유에서 벗어나 세계와 하나가 되는 삶의 방식의 '존재적 실존 양식'을 주장하였다. 가진 것을 잃을 수 있다는 불안에 시달리지 않아도 된다는 것이다. 그래서 다른 존재에 대해 호의적이고, 타인을 사랑하며, 자신이 가진 것을 나눔으로써 궁극적인 행복을 느낀다고 보았다.

　이러한 프롬의 행복에 대한 글을 보고 내가 든 생각은 하나. 프롬은 틀렸다. 무언가를 소유한다는 것은 참으로 어려운 것이다. 그 어려움을 딛고 올라가 무언가를 소유한다면. 그것보다 더욱 행복한 것은 없을 것이다. 20년 평생을 그렇게 살아왔다.

사람이든, 사물이든 가지고 싶으면 가지면 됐다. 어떻게 해서든 갖게 됐다. 그리고 희열을 느꼈다. 이게 행복이지. 그렇게 살았다. 그래서 휴학계를 내는 그날까지도 과제에 대한 글을 단 한 글자도 쓰지 못했다.

또 잡생각에 빠져 허우적대버렸다. 자리에서 벌떡 일어나 앉았다. 이부자리를 정리하곤 옥탑방에 문을 열었다. 차가운 바람이 온몸을 감싸더니 방 안으로 쑥 들어갔다. 후드 집업 주머니에 손을 집어넣곤 슬리퍼를 질질 끌었다. 오래간만에 맡아보는 새벽 냄새였다. 한낮의 뜨거운 열기가 전부 빠져나가고 남아있는 깨끗한데 텁텁한 그 이상한 냄새.

옥상 난간에 서서 큰 숨을 한 번 쉬었다. 진짜 겨울이 오려나 보다. 낮은 짧아졌고, 밤은 길어졌다. 아직 어둑한 섬을 한참 돌아보았다. 가로등이 많지 않은 이 마을. 읍내라고 말하기도 뭐한 시장 거리에만 가로등이 자리를 지키고 있다. 이 섬의 사람들은 오로지 달빛으로 밤을 맞이한다.

추측해보자면 그 애는 오래전부터 이 섬에 사는 사람 같다. 아니면 이 섬사람일 수도. 언제 배들이 떠나는지 너무나 잘 아는 사람 같아 보였다. 항상 새벽 6시쯤이 되면 옥상으로 올라오는 작은 발소리가 들려왔다. 발소리를 의식하며 조용히 올라오는 것만 같은 그 작고 이상한 발소리, 그 발소리가 점점 가까워지다가 어느 순간 사

47

라질 때가 있다. 그러면 평상의 나무 소리가 *끼익-* 하고 들려온다.
그러면 난 그제야 자리에서 일어났다. 곱게 접혀있는 담요를 들곤
옥탑방 문을 열면 평상에 앉아 있는 그 애가 나를 보며 고개를 꾸
벅였다. 처음엔 어떠한 말이던 해야 할 것만 같아 괜히 목소리도 가
다듬어보았지만, 그 애의 깊은 눈동자가 수평선에 안착해 있는 것을
보곤 저절로 말을 하지 말아야겠다고 생각했다. 왜인지는 모르겠지
만, 그냥 그래야 할 것 같아서.

　그 애의 눈은 신기했다. 깊은 호수가 있는 것 같기도 했고, 끝이
없는 블랙홀 같기도 했다. 그 애의 눈동자엔 슬픔이 맺혀있는 것도
같았다. 분명 아무런 표정도 짓지 않는데 어딘가 불안정해 보였다.
그 애는 그러한 눈동자를 가지고 무엇을 보고 있는 것일까. 무슨 생
각을 하는 것일까. 해구를 보아도, 저 너머의 수평선을 보아도 정답
은 떠오르지 않는다.

　얼마나 서 있었는지 옥상을 올라오는 발소리가 들려왔다. 작고 불
안정한 발소리. 점점 가까워졌고, 이내 발소리가 멈추었다. 천천히
뒤를 돌았다. 그 애의 깊은 눈동자는 나를 쳐다보고 있었다. 두 눈
이 마주쳤고, 한참을 머물렀다. 그 정적을 깬 건 나였다. 조금씩 걸
어가 그 애의 손목을 잡았다. 왜 그랬는지는 모르겠다.

　바다 보러 가요. 그랬다. 바다를 보여주고 싶어서. 저 넓은 세상
을 보여주고 싶어서. 그 눈동자에 비친 슬픔을 잠시나마 지워주고
싶어서. 이게 동정인지, 연민인지는 모르겠지만.

0

옥상을 내려와 어두운 골목길을 달렸다. 그 누구도 어떠한 말을 꺼내지 않았다. 바닥에는 두 인영의 그림자가 둥둥거렸다. 쉬지 않고 달렸다. 하지만 숨이 차는 건 느끼지 못했다. 빨리, 더 빨리 가고 싶었다. 항구에 도착했을 무렵, 속도는 늦추어졌다. 두리번거리다가 손목을 다시 고쳐잡았다. 그리고 항구 옆 작은 숲으로 들어갔다. 그곳엔 흔들의자가 있었는데 그 의자에 앉으면 바로 앞에 바다가 펼쳐졌다. 그곳으로 그 애를 이끌었다.

그 애가 숨어서 보는 바다를 더 가까이서, 더 자세히, 더욱 아름답게, 더욱 기억에 남을 수 있도록 보여주고 싶었다.

1

그곳엔 흔들의자와 사람의 손을 전혀 타지 않은 꽃들이 무성히
피어있었다. 그 꽃들은 늦가을인 지금에도 여전히 자신의 색을 띄우
고 있었다. 마치 끊어진 다리 위에 피어난 쥐바라숭꽃 같기도.

정한은 나를 흔들의자가 있는 곳으로 데려갔다. 뭐, 끌려갔다는
게 더 맞는 표현 같기도. 그곳엔 황홀한 바다가 펼쳐졌다. 이런 곳
이 있는지 상상도 못 했다. 분명 내가 이 섬에 더 오래 있었는데도
불구하고.

그, 마음대로 끌고 와서 미안해요. 그냥 너무 보여주고 싶었어요.
혼자 보긴 너무 아까운 풍경이잖아요…….

얼굴이 꼭 억울한 사람 같달까. 끌려온 건 나인 게 분명한데 말
이지.

이런 곳이 있는지 어떻게 알았어요?
이 섬에 온 지 얼마 안 됐을 때 자전거 타고 돌아다녔었거든요.
그때 발견했어요, 근데 아무도 안 오는 거 같더라고요…. 이렇게 좋
은 곳을……. 그래서 심심할 때면 한 번씩 왔었어요.
상상도 못 했어요. 이런 곳이 있을 거라곤.

0

바다를 바라보고 있는 그 애의 눈을 보니 데려오기 잘했다는 생각이 들었다. 파도는 잔잔했다. 밀려왔다가 다시 돌아갔다. 어쩌면 바다도 알고 있는 것이 아닐까. 지금은 모든 생명체가 잠들어있는 시간이라는 걸. 그래서 달콤한 잠을 깨우지 않게 파도를 치지 않는 것은 아닐까. 이 섬을 지켜주고 있는 것은 아닐까.

전 스물두 살이에요.

그 애의 입에서 나온 뜬금없는 말이었다. 전혀 예측할 수 없는 사람이다. 아무런 대답이 없자 그 애는 바다에서 눈을 떼곤 나의 눈을 쳐다보았다.

전에 물어보셨잖아요. 이 섬에 사는 사람이냐고.
이 섬에 사는 사람은 아니에요. 그냥 어쩌다 보니 여기 있는 거지.
그리고 옥상에 평상이 있는 건 그 집 아주머니랑 아는 사이라서. 그래서 알고 있는 거예요.

말을 마친 그 애의 눈동자에는 생기가 없어졌다. 분명 반짝하고 빛나던 눈이 빛이 사라졌다. 그 애는 왜 아무런 말도 없냐며 머쓱한 미소를 보였다. 그러곤 고개를 돌려 바다를 보았다.

근데 그 모습이 좀. 짜증 났다. 아니, 화가 난 것 같기도 한데. 아니, 그냥 슬펐다. 그 굽은 허리가, 그 도드라진 목뼈가, 그 어린아이가.

그래서 말해주고 싶었다. 나를, 나라는 사람을.

전 도망쳐서 이 섬에 오게 됐어요.

1

실수였다. 모든 것을 말한 것은. 충동적인 행동이었다. 쓸데없는 말을 했다고 생각했다. 또 숨이 잘 쉬어지지 않았다. 답답했고 시린데 뜨거웠다. 무언가 올라오는 것 같았다. 큰 덩어리 같은 거. 도망가야겠다고 생각한 찰나였다.

전 도망쳐서 이 섬에 오게 됐어요.

무언가 툭 떨어지는 느낌을 받았다. 떨어진 것이 내 눈물인지, 내 심장인지, 내 온몸에 자리 잡고 있는 그 검은 덩어리인지 알 순 없었다. 나는 무릎을 접어 두 다리를 감싸 안았다. 빼빼 마른 나의 다리는 전혀 도움이 되지 않았지만, 그냥 이렇게라도 하지 않으면 남아있는 심장마저 떨어질 것만 같았다.

제 부모님이 이혼하셨거든요? 그것도 제가 고등학교 2학년 때요. 그러고 나서 쭉 혼자 살았어요. 그게 부모님한테도, 저한테도 좋은 선택이라고 생각했어요. 힘든 점도 없었어요. 그냥 버텼어요. 근데 이제야 좀 힘든 게 느껴졌나 봐요. 항상 도망치고 싶다는 생각만 했지, 진짜 하진 못했거든요.
그냥 좀…. 쉬고 싶어서 왔어요. 아무 생각 없이 살고 싶어서요.

그쪽은요? 여기 온 이유가 뭐예요?

아무런 말도 할 수 없었다. 당신의 비밀을 나에게 알려주는 이유가 무엇인지 따지고 싶었다. 아니, 고맙다고 해야 하나. 솔직히 지금 내가 무엇을 해야 하는지도 잘 모르겠다. 그냥 좀. 내 기분인데, 내 기분이 아닌 것 같다. 다 모르겠다. 어지럽다. 마지막 심장마저 후두둑 재가 되어버렸다.

내가 만약 이 이야기를 한다면.
저도 도망쳐서 온 거예요.
혹시나 나를 싫어하진 않을지.
너무 힘들어서 도망친 거예요. 이 세상에서부터. 그냥….
나를 알곤 날 버리진 않을지.
그냥…….
당신은 나의 친구가 되어줄 수 있는지.
사랑받고 싶어서 도망쳤어요, 그게 맞아요.
당신만큼은 내가 나를 찾을 때까지 내 옆을 지켜주면 안 되는지.

그럼 우리 둘 다 도피자네.
이 거지 같은 세상으로부터 도망치는 자들?

그 말을 듣는 순간, 왠지 모르게 이 사람은 내 곁을 지켜줄 것이라는 확신이 들었다. 고작 본 지 한 달도 채 되지 않는 사람이었지만, 그냥 그런 느낌이 들었다.

그래서 더욱 무서워졌다. 정말 나라는 사람을 찾는 것에 대한.

그날 밤, 부둣가에 앉아 움직이는 구름을 보곤 말했다.

나 믿고 싶은 사람이 생겼어. 근데 믿어도 될지, 내가 그래도 되는 사람인지 잘 모르겠어. 과연 난 행복해질 수 있을까? 나라는 사람을 찾을 수 있을까. 사랑받으며 살아갈 수 있는 사람이란 걸 증명해 낼 수 있을까.

엄마, 나 좀 데리고 가면 안 될까. 나 이제 정말 못 버틸 것 같은데. 더는 힘들어지고 싶지 않아지는데. 또 소중한 사람을 잃고 싶지도 않아. 착한 사람을 나쁘게 만들고 싶지도 않아. 평범하게 살아가고 싶어. 엄마, 듣고 있는 거 맞긴 해? 엄마, 정말 나 너무 힘들어.

소리 하나 내지 못했다. 그저 봇물 터지듯 흐르는 눈물을 벅벅 닦기 바빴다.

정말 하느님이 계신다면 저에게 벌을 주세요. 부디 제가 회개할 수 있도록 도와주세요.

1

생각해보면 웃기다.

본 지 얼마 되지도 않은 사람에게 이렇게나 빨리 마음을 열어본 적은 이번이 처음이다. 그 사람이 날 살려내서일까.

그 사람이 정말 좋은 사람이라는 보장은? 그 사람도 내 주변에 있었던 사람들처럼 날 버려버린다면? 정말 그렇게 되면 내가 할 수 있는 것은 무엇인가.

애초에 말도 안 되는 사람이다. 우연처럼 그 다리 위에서 만나 또 우연히 이 섬에서 만난 사람이라면. 정말 스치듯 지나가는 사람 이라면. 그 사람마저 날 떠나면 정신을 붙잡고 살 수 있을까.

이래서 내가 아무에게도 정을 주지 않았던 거야. 애초에 없었던 건 괜찮아. 원래 없었던 것에 대한 욕망은 없으니까. 하지만 있었던 것을 잃는 것은 더는 견딜 수가 없다.

집으로 돌아오는 길에 모든 생각 정리를 마쳤다.

집으로 돌아오는 길이 무척이나 외로웠다.

0

사랑받고 싶어서 도망쳤어요, 그게 맞아요.

나를 쳐다보는 그 애의 눈은 측은해 보였다. 선우진에게 어떤 사연이 있는 건지, 어떤 일을 겪었기에 사랑받고 싶다는 것인지, 사랑을 위해서 도망쳤다는 게 무슨 말인지. 난 그 어떤 것도 알 수 없었다. 하지만,

그럼 우리 둘 다 도피자네.
이 거지 같은 세상으로부터 도망치는 자들?

그게 뭐냐며 옅은 미소를 보이는 그 애를 보니 마음속 한편이 아려왔다. 누구보다도 아껴주어야겠다고. 사랑받게 해줘야겠다고. 저 웃음이 오래갈 수 있게 해줘야겠다고. 많은 사람들에게 사랑받을 수 있는 사람이라는 걸 알려주겠다고.

어둑했던 마을이 점점 밝아지기 시작했다. 항구에서는 뱃소리가 들려온다. 아침이 온다. 우리가 피하던 아침이 온다.

내일 약속 있어요?

아뇨.

그럼 저랑 섬 구경 나가요.

그 애는 한참이나 말을 하지 않았다. 입을 오물거리기도 하고 발가락을 움츠리기도 했으나, 그 애의 입에선 어떠한 말도 나오지 않았다.

난 주머니에 손을 넣곤 의자에서 일어났다. 그 애에게 이제 그만 집으로 가자며 손을 내밀었다. 그 애는 자신 앞에 보이는 나의 손을 바라만 보다가 마침내 손을 올렸다. 그 손이 어찌나 차갑던지. 아직도 그 온도가 생생하다.

좋아요. 구경 갈래요.

어린아이를 보는 것만 같았다. 나를 올려다보는 그 애의 눈을 볼 때면 난 추락하는 느낌을 받는다. 그 애의 눈에 난 익사하고 만다. 물에 비친 그 애의 모습을 보곤 그대로 물에 빠지고 만다. 천천히 물에 잠긴다. 숨이 쉬어지지 않지만, 발버둥 칠 수 없다. 호수는 너무나 깊었고 따뜻하기 그지없었다. 빠져 죽는다고 하더라도 행복하게 죽을 수 있을 것 같았다.

선우진은 나에게 그런 존재로 인식되었다.

선우진의 집에 도착할 때까지 난 그 애의 손을 한 번도 놓지 않왔다. 내 손에 반 밖에 채 되지 않는 그 앙상한 손을 꼭 붙잡고 있었다. 이 손을 놓아버리면 선우진이 사라질 것만 같았다. 가루가 되어 없어질 것만 같았다.

선우진은 저기가 자신의 집이라며 작은 주택 2층을 가리켰다.

내일 아침 6시에 여기로 데리러 올게요.

안 그러셔도 되는데….

저 할 것도 없어요. 눈도 일찍 떠지고…. 와도 되죠?

네…. 뭐….

어쩌면 나는 이 아이를 만나게 될 운명이었을 지도 모른다. 내가 만약 이 섬에 오지 않았더라면 다른 어느 곳에서 만나게 됐을지도 모른다고 생각했다. 신께서 내가 선우진 곁에 머물도록 했을 것이라고 장담한다. 그냥…. 그때 그런 확신이 들었다.

시려진 손을 바지 주머니에 아무렇게나 쑤셔 넣었다. 선우진과 인사를 나눈 뒤, 옥탑방으로 돌아오는 길이 이상한 감정들로 둘러싸였다.

옥탑방으로 돌아와 평상 위에 뻗어버렸다. 평상에 누워 밝아진 하늘을 보았다. 하늘에는 새들이 날아다녔다. 구름은 둥실 떠다녔고, 아이들이 날리는 연도 보였다. 푸른 하늘에 나의 미래를 그려보았다. 이내 사라졌다.

0

토할 것 같은 느낌에 눈이 떠졌다. 아무래도 저녁에 먹은 라면이 거하게 체한 것 같았다. 집주인 아주머니께서 가게를 잠시 봐달라고 하신 바람에 허겁지겁 밥을 먹어서인 듯하다.

가슴을 퍽퍽 치며 가방을 뒤졌다. 가방 깊숙이에서 소화제 상자를 꺼내 들었다. 알약 하나를 뜯어 입안에 털어 넣곤 병에 들어있는 물을 삼켰다.

손에 들린 소화제를 보았다. 잘 체하지 않는 사람이라 소화제를 직접 사본 적이 없었다. 몇 년 전, 딱 이맘때쯤. 아마 그럴 것이다. 전 애인과 만난 지 얼마 되지 않았을 무렵이다. 데이트랍시고 비싼 레스토랑에 간 날이었다. 그저 멋있고 싶다는 이유만으로 그 비싼 음식점을 갔던 걸 보면 참 어렸다. 또 맛은 그렇게 없을 수가 있을까. 한국인 입맛에 최적화되어있는 나였으나 잘 사는 사람처럼 보이고 싶었기에 꾸역꾸역 입에 집어넣었다.

당연히 그날 온종일 속이 좋지 못했다. 커피 한 잔도 못 먹을 정도로 속이 울렁였다.

그 애의 집에 도착하고서 인사를 나눌 때, 그 애가 주섬주섬 무엇을 꺼내더니 내게 전해주었다.

너 되게 귀여운 사람이구나. 그래도 난 네가 아프면서까지 연애할 생각 없어. 난 그냥 너 자체가 좋은 거니까. 약 꼭 먹어.

손에 잡힌 소화제를 한 번 보고, 그 아이의 얼굴도 한 번 보고.
그리고 얼굴이 달아오르는 느낌도 받고. 부끄러워서 아무 말도 못
하고 있으니 귀엽다며 귀를 잡고 놀리던 그 애가 생각났다.
그 약은 잘 체하던 그 애의 필수품이었다는 건 한참 뒤에야 알
수 있었다. 무엇을 먹든 체하는 그 애를 위해서 들고 다니던 약이었
다.
그 약을 들고 있으니까 괜히 기분이 좋지 않았다. 그 애가 체하
면 손을 꼭꼭 만져주어야 하고, 까먹고 약을 챙기지 않은 날이 있으
면 멋있는 애인이 되어 들고 다니던 약도 꺼내주어야 하는데. 이제
더 이상 그 애는 내 옆에 없다.
아무래도 사랑은 맞았나 보다. 이렇게 오래가는 거 보면 말이다.
그 애와 헤어지고서 개도 안 걸린다는 여름 감기에 걸렸다. 아니,
열병이었을 수도.
열은 떨어질 줄을 몰랐다. 계속해서 올라가는 체온과 어지러운 머
리와 울렁이는 심장까지. 이러다가 죽지 않을까 하는 생각도 하였
다.
정확히 5일. 그제야 열이 떨어졌다. 감기. 딱 그 정도의 사랑이었
겠거니 했었는데 아니었나 보네. 나 진짜 많이 사랑했나 봐.

찬 공기라도 마셔야 할 것 같아 옥탑방 문을 열고선 밖으로 나왔

다. 평상에 몸을 뉘면 하늘엔 별들의 절경이었다. 서울에 있었을 땐, 밤하늘에 이렇게 많은 별이 있는지 몰랐었다. 아무래도 24시간 밝은 서울이니.

차가운 공기를 들이마시니 체했던 게 조금은 내려가는 느낌이 들었다. 폰을 들어 스크롤을 하다 보니 새벽에 봤던 어머니의 문자가 보였다.

엄마
네가 하고 싶은 걸 하고 살아. 눈치 보지 말고. 02:15

내가 하고 싶은 게 당장은 무엇인지 모르겠다. 하지만 이젠 정말 나를 말릴 사람은 없다. 하고 싶은 게 무엇인지 모르겠다면 찾으면 되는 것이고, 좋아하는 게 없으면 하나씩 만들어나가면 되는 거니까. 그래, 그렇게 살면 되는 거야. 답장을 전송하곤 폰을 껐다.

네, 엄마. 행복해질게요. 01:45

꿈에서 걔가 나왔다. 나를 보며 울고 있었다. 근데 그 아이의 얼굴엔 미소가 가득했다. 정말 나를 떠나보낼 준비가 됐다는 것처럼. 그래서 나도 웃어주었다. 비록 꿈속이었지만 말이다.

그 꿈에서 깨니 얼굴은 눈물로 더럽혀져 있었다. 잊었다고 생각했는데 막상 얼굴을 보니 힘들어서 미칠 것만 같았다.

하지만 그 애는 정말 준비를 마친 것 같아서 붙잡을 수도 없다. 그러니 나 조금만, 진짜 조금만 더 널 사랑할게.

너처럼, 기쁜 마음으로 널 보낼 수 있을 때까지만. 딱 그때까지만 더 사랑할게. 부탁할게.

1

눈을 뜨니 5시가 다 되어가고 있는 시간이었다. *바스락-*. 이불을 개곤 화장실에 가 칫솔을 들었다. 칫솔을 물곤 2층 거실을 돌아다녔다. LP 플레이어 위엔 LP 한 장이 올라가 있었다. 어젯밤 방문 밖에서 고요한 노랫소리가 들려오던 것이 문득 생각난 거로 보아 아주머니께서 잠을 잘 자지 못하는 나를 위해 켜두신 듯하다.

조심히 LP판을 들어 정리하였다. 쪼그린 다리를 펴니 무릎이 욱신거렸다. 서울에서 설거지 알바를 뛰었을 때부터 무릎이 좋지 않았는데 상태를 보아선 악화된 것이 분명하다.

씻고 나와 식탁에 있는 영양제 하나, 둘, 셋…. 이젠 셀 수도 없을 정도의 영양제를 입안에 털어 넣었다. 2층 거실에 있는 창문을 열어보니 허락하지 않은 찬기가 따뜻한 집안으로 들어왔다. 마치 영화에서 나오는 침입자들처럼. 아, 나도 어찌 보면 이 섬에 허락 없이 들어온 침입자일 수도. 헛웃음이 나왔다.

정한이 오기로 한 시간보다 30분은 일찍 집을 나섰다. 별 이유는 없었다. 그냥 심장이 답답하고 간지러워서 찬 공기라도 마시지 않으면 정신을 잃을 것만 같았다.

아주머니 주택 담벼락에는 능소화가 열린다. 서울에선 여름에 자주 보던 꽃인데 이 섬엔 능소화가 조금은 늦게 피는 것 같다. 비록 지금은 거의 다 시들어 담벼락 밑으로 떨어지지만 말이다.

서울 월세방에서 나올 때, 큰길로 가는 골목길 그 커다란 집 담벼락에 흐드러지게 피어있는 능소화는 동네 사람들에게 손가락질만을 받았다. 능소화는 지기 시작하면 잎이 시들어 땅을 더럽히곤 한다. 그래서 항상 꽃이 질 때가 되면 능소화가 바닥에 뿌려져 있었는데 동네 사람들은 골목길을 더럽힌다며 쯧쯧대기 일쑤였다.

하지만 난 그 능소화를 좋아했다. 비록 그 꽃은 정점을 찍고 죽어가지만, 죽어가는 그 모습마저 아름다웠다. 비로소 완전히 잎을 모두 비워냈을 때, 주황빛의 자신을 띄우며 시커먼 바닥을 꾸며주는 것만 같았다. 그래서 늦은 밤, 집으로 돌아가는 길이면 그 능소화나무 앞에서 떨어진 잎들을 흩트려 보기도 했다. 나도 아름다운 능소화나무나 될 걸 하고 말이다.

떨어진 능소화 잎들은 참으로 아름답다. 그들은 자신의 생이 다했다는 것을 알지만 자신의 색을 결코 잃지 않는다.

주머니에 있는 폰을 꺼내 시간을 확인해보니 5시 45분. 저 혼자 생각하다 보니 시간이 이만큼이나 지났는지 몰랐다. 저만치 골목 끝에서 어떠한 인영이 보였다. 아마 정한일 것이다. 나를 본 건지 방방 뛰어오는 그였다. 헉헉대는 정한에게 그러니 왜 뛰어오냐며 구박하니 빨리 보고 싶었다며 능구렁이처럼 빠져나간다. 정말 알다가도 모르겠는 사람이다.

0

선우진의 집 앞으로 걸어가는 길이다. 그 애의 꿈을 꾸고 깬 뒤, 잠을 한숨도 자지 못했다. 죄책감보다는 그냥 잠이 오지 않았다. 사실 새벽녘에 밤길을 걸었다. 찬 바람을 쐬고 오면 잠이 좀 오지 않을까 싶어서. 바다 가까이 가니 바닷물에 비친 달빛이 너무나 아름다워 보였다. 서울에서는 절대로 볼 수 없는 풍경이니 말이다.

그 자연의 아름다움에 매료되어 한참이나 뚫어지라 쳐다보았다. 마침내 정신을 차리곤 자리를 뜨려고 했을 무렵 선우진을 본 것 같다. 바위 위에 올라가 움츠리고 있는 모습이 딱 선우진의 모습이었다. 칠흑같이 어두웠지만 선우진 임을 확신했다. 움츠리고 있는 모습이 외로워 보였기에. 그런데 또 그 모습이 자신은 익숙해 보여서.

그래서 오늘 꼭 선우진에게 물어보기로 다짐했다. 선우진은 어떤 아이인지 알아보고 싶었다. 선우진의 집에 거의 도착했을 무렵, 담벼락에 발을 차고 있는 선우진을 보았다. 그 담벼락에는 능소화나무가 널려있었다. 점점 시들어가는 능소화는 가지만을 남기고 꽃잎들은 바닥으로 낙하하고 있었다. 그 밑에 서 있는 선우진은 꼭 동화속에 나오는 주인공 같았다. 드라마 속에 나오는 외로운 후궁일지라도, 설령 어린 왕자일지라도.

선우진이 나를 쳐다보았을 때, 얼굴을 펴고 반가운 사람처럼 팔을 이리저리 흔들었다. 선우진에게 어떤 일들이 있었는지 알고 싶지만, 지금 당장은 선우진의 웃음이 보고 싶었다. 손을 마구 흔들며 선우진에게 뛰어가니 당황스러운 눈으로 나를 맞이했다. 그 모습이 너무 웃겨서 폭소할 뻔했다.

왜 갑자기 뛰어와요.
에이-. 보고 싶어서 달려왔죠.

뭐라는 거냐며 흐린 눈으로 양냥거리는 선우진의 모습을 보곤 또 웃음이 났다.

1

정한이 나를 내리고 간 곳은 어제 새벽녘 바다를 보았던 그 흔들 의자가 있던 그곳이었다. 아마 바다를 보는 것을 좋아하는 나를 위한 장소 선택일 것이다. 사람들은 똑같은 바다를 왜 매일 같이 보냐며 이해하지 못할 것이다. 하지만 그 생각은 틀렸다. 내가 바다를 보는 이유는 매일이 달라서이다. 어제는 활발했던 바다가 오늘은 차분할 수도 있고, 새파랗던 바다가 어느 날에는 에메랄드빛처럼 깨끗할 때도 있다. 그래서 난 그런 바다가 좋다. 나에게 항상 새로움을 주는 친구라서.

뭐 하나만 물어봐도 돼요?

네, 물어보세요.

왜 이렇게 이른 아침에만 바다를 보는 거예요?

그냥…. 조용하잖아요. 아무도 없고. 하염없이 봐도 뭐라 할 사람도 없고. 바다는 조용히 흐르고. 사실 특별한 이유는 없어요. 이 섬에 온 지 얼마 되지 않았을 때, 잠도 안 오고, 할 것도 없고. 그래서 바다를 자주 봤어요.

저랑 비슷하네요. 저도 할 게 없어서 바다 보곤 하거든요.

그러면서 큭큭 웃어대던 정한을 보고 어이가 없어서 웃음을 보였다. 정한은 참 신기한 사람이다. 그리고 좀 이상한 사람 같기도.

　점심은 시장 안에 있는 국밥집에서 밥을 먹었다. 거의 매일 같이 먹었던 국밥이 유난히 오늘따라 달았다. 내가 이만큼의 밥을 먹을 수도 있는 사람이란 걸 새롭게 깨달았다. 이래서 혼자보다는 둘이 낫다고 하는 걸까. 배를 두드리며 나오는 정한을 바라보고 있으니 나를 보며 씩 웃었다. 저 사람은 뭐가 그리 즐거울까. 뭐 그런 생각을 했다. 정한은 내 손목을 붙들곤 아주머니 가게로 향했다.

　저…. 자전거 못 타는데요.
　아, 그 생각을 못 했네.

　아주머니 가게 뒤엔 아주머니와 아주머니 아들이 쓰던 자전거가 있었다. 사실 방금까지도 몰랐던 사실이긴 하다. 이 섬에서 1년 동안이나 산 나보다 한 달 정도 된 정한이 더 잘 알고 있었다.
　정한은 한참을 고민하다가 번뜩 뜬 눈으로 나를 쳐다보았다.

　그럼 제 자전거 뒤에 타세요.
　예?

　당황스러워 말을 더듬고 말았다. 무거울 텐데 어떻게 뒤에 타냐며 주절대니 잔말 말고 앉으라는 듯 나를 밀어댔다. 진짜 도통 뭘 하는 사람인지 모르겠다. 죄다 자기 마음대로 하고.

기어이 나를 뒤에 태운 정한은 출발합니다-. 하는 소리와 함께 페달을 밟았다. 갑자기 굴러가는 바퀴에 뒤로 넘어질 뻔했다. 아니, 심장마비에 걸려서 쓰러졌을 수도. 십 년은 감수한 거 같다.

시원한 바닷바람과 사람의 따뜻한 체온은 사람을 기분 좋게 할 수 있구나. 바닷가 길을 따라 달리면 바다 냄새가 물씬 났다. 그 오묘한 냄새가 왜 그리 좋은지 이상한 느낌에 코를 비벼댔다. 시큰거리는 코와 찌릿한 심장과 조용한 바다와 따뜻한 사람의 온기.

그저 그 기분이 좋아 정한의 스웨터를 꾹 잡았다. 할 수 있는 만큼 더 세게, 더 꽉.

한참을 달리다가 세워진 곳은 초등학교였다. 이곳엔 이 섬에 몇 없는 아이들이 학교를 다닌다. 초등학교 벤치에 앉아서 운동장을 뛰어다니는 아이들을 보고 있으니 옛날이 막 떠오르고 그렇다.

초등학교 1학년 입학식 날, 엄마와 아빠의 손을 잡고 학교를 갔었다. 성대한 입학식이 끝난 후에 다 같이 짜장면을 먹으러 갔었는데 그 짜장면이 어찌 맛있던지. 아직도 기억이 생생하다.

학년이 올라가고서 친구들이 하나둘 학원에 가기 시작할 무렵, 학원을 다니지 않았던 저는 운동장에서 혼자 공놀이를 하곤 했는데 그러다 보면 일이 끝난 엄마가 나를 데리러 학교까지 오곤 했었다. 노을이 지고 있는 운동장에서 교문을 바라보며 누워있으면 엄마가 보였다. 그래서 혼자인 운동장이 그리 외롭진 않았다.

볼에 닿은 뜨끈한 무언가에 정신이 번쩍 들었다. 정한이 따뜻한 꿀물 두 개를 흔들며 저를 내려다보았다.

여기 아이들은 행복할 것 같아요.

왜요?

그냥…. 자연이랑 놀고 서로 돈독할 것 같고. 무엇보다 평화롭잖아요. 24시간 시끄러운 서울에 비해 너무 따뜻하잖아요. 그냥 아이들을 보고 있으면 그런 생각이 드네요.

네에…. 그런 것 같아요.

내가 만약 이 섬에서 태어났다면 행복하게 살 수 있었을까. 아무런 걱정도 없이 나를 좋아해 주는 친구들과 웃으면서 그렇게 온실 속의 화초처럼 살 수 있었을까. 따뜻한 꿀물을 한 모금 마시니 노곤해진다. 많은 생각은 안 하기로 했다. 그냥 지금, 이 순간을 즐기기로 했다.

1

 그날 저녁은 정한의 옥탑방에서 보냈다. 정한의 요리 실력은 꽤나 뛰어났다. 이른 자취 생활로 인해 할 수 있는 음식이 많다며 말만 하라며 웃어 보이기도 했다. 보글보글 끓는 소리가 났고 이내 앉은 뱅이책상 위에 큰 냄비가 올라왔다. 정한은 짜잔-. 하는 소리와 함께 뚜껑을 열었고, 그 안에는 아직 보글보글 끓고 있는 김치찌개가 있었다. 어서 먹어보라는 눈빛을 보내는 정한은 긴장한 사람처럼 초조해 보여 웃음이 났다.

 숟가락으로 국물을 떠 입에 넣었을 때, 그대로 토해낼 뻔했다. 그토록 그립던 엄마의 김치찌개와 너무나도 똑같아서. 다시는 먹지 못할 거라 생각했던 그 음식이랑 너무 유사해서.

 아무런 말이 없는 나를 보곤 잔뜩 긴장한 목소리로 정한은 나를 불러댔다. 그제야 정신을 차리곤 맛있다며 중얼거렸다. 코가 너무 아팠다. 조금만 건드려도 눈물이 바로 터질 것만 같았다. 이 김치찌개가 내 인생에서 정말 마지막이 될 수도 있다는 생각에 꾸역꾸역 위에 채웠다.

 그리고 다 게워냈다. 위에 있는 모든 것들을. 이젠 더는 나올 것이 없다는 듯 위액을 토해냈다. 서러웠다, 이 모든 것이. 정한은 가방을 뒤지더니 소화제를 꺼내 물과 함께 건넸다. 다음에 다시 해줄

게요. 약속해요. 하며 알약을 손에 쥐여주었다. 그 말이 뭐라고 괜히 위안이 되고 그랬다. 그래서 더 슬펐다. 괜찮은 줄 알았는데 괜찮지 않은 내가 너무도 잘 보여서.

그날 밤은 유독 길었다. 찬바람을 좀 쐬는 게 어떻겠냐는 정한의 말을 듣곤 평상 위에 앉아 밤하늘을 보았다. 좀 적막했던 거 같기도. 괜히 좀 미안한 마음이 들어 무릎을 접어 꼭 안았다. 정한은 이상한 소리를 내며 몸을 뉘었다.

이 도망에서 해방되면 뭐부터 하고 싶어요?

정한의 말에 한참을 생각했다. 하지만 정답은 찾을 수 없었다, 한 번도 생각해본 적 없는 일이었으니.

그런 날이 오기나 할까요.
혹시 모르지. 널 구해줄 사람이 생길지.

그런 날도, 그런 사람도 없을 것이라고 확신했다. 하지만 욕심이 생겼다. 어쩌면 나도 행복해질 수 있을 거라고. 어쩌면 나의 구원자가 올 것이라고. 누군가의 추억이 되고 싶다는 생각이 들었다.

저 어젯밤에 진이씨를 본 것 같아요.

네? 어디서요?

바닷가에 앉아 있던 사람, 진이씨…. 맞죠?

아-. 들켰구나. 더는 숨길 방도가 없었다.

네, 맞아요. 저.

말할 수밖에 없었다. 이젠 더는 숨기고 싶지 않았다. 정한은 나를 보며 물어왔다.

예의 없는 것도 알고 이상하다고 생각할 수도 있는데요. 꼭 물어 보고 싶어서요. 그 시간에 왜 거기 있었는지 물어봐도 될까요?

소중한 사람이 생겼다. 나를 아껴주는 사람이 생겼다.

전에 제가 사랑받고 싶어서 도망쳤다고 했잖아요. 전 가진 게 없 어요. 사람도, 사물도. 사랑마저도요. 이리저리 치이다가 종착지도 모르는 티켓을 사서 온 곳이 여기예요. 처음엔 며칠만 있어야지. 하 는 생각으로 있었는데, 이 섬사람들이 너무 좋더라고요. 별것도 아 닌 저를 사랑해주더라고요. 저 알고 보니 정이 많은 사람이었나 봐요.

눈시울이 붉어졌다. 두 볼은 열이 오르기 시작했고 점점, 앞에 있
는 정한이 흐려지기 시작했다.

여길 온 건 축복이에요. 다신 오지 않을 기적이요.

…

여길 와서 그쪽을 만난 것도 기적이라 생각해도 될까요.

잃고 싶지 않아서요.

마침내 눈에서 눈물이 떨어졌다. 뜨거웠던 볼은 눈물로 인해 차가
워지기 시작했다. 눈물이 났지만, 행복했다. 그동안 뭉쳐두었던 무언
가가 싹 없어진 것만 같았다. 내 곁에 사람이 생긴 것이 실감 나기
시작했다. 행복하다며 울부짖었다.

나에게 기적이 찾아왔다.

0

선우진의 눈에선 눈물이 흘렀다. 미소를 지으며 선우진은 행복하다며 울었다. 코가 시큰했다. 속은 울렁이고 가슴은 너무나 답답했다. 눈물을 흘리는 선우진을 안았다. 내가 해줄 수 있는 게 고작 이것뿐이라는 사실이 화가 났다.

선우진의 행복을 빌고 싶었다. 웃을 수 있게 해주고 싶었다.

선우진의 집에 도착했을 무렵, 선우진은 저와 친구가 되어달라며 손을 내밀었고 그 모습이 초등학생 같아서 웃어대니 취소하겠다며 집으로 들어가려는 선우진을 말렸다.

집으로 돌아가는 길에 차가워진 공기를 느꼈다. 겨울이 찾아왔다. 오지 않을 것만 같던 그 겨울이 왔다.

옥탑방에 도착해 책상을 피곤 앉았다. 노트북 한글 파일을 열곤 키보드를 두드렸다. 그리고 마침내 손가락을 움직였다.

주제: 나는 행복한가.

학과: 경영학부

학번: ＊＊＊＊＊＊　　이름: 정한

행복한 삶이란 무엇인가.

에리히 프롬은 인간이 세계와 관계를 맺는 방식을 '소유적 실존 양식'과 '존재적 실존 양식'으로 나누었다. 소유적 실존 양식은 자신을 소유물과 동일시 함으로써 세계와 일체감을 느끼고자 하는 삶의 방식이다. 프롬은 이미 소유한 것은 더 이상 충족감을 줄 수 없으며, 소유를 통해서 인간이 행복한 사람을 산다는 것을 비판하였다. 존재적 실존 양식은 소유에서 벗어나 세계와 하나가 되는 사람의 방식이다. 존재적 실존 양식은 가진 것을 잃을 수 있다는 불안에 시달리지 않는다. 그로 인해 다른 존재에 대해 호의적이고, 타인을 사랑하며, 자신이 가진 것을 나눔으로써 궁극적인 행복을 느낀다고 보았다.

이러한 프롬이 주장하는 행복을 보고서 나는 지금 행복한 사람을 살아가고 있는지 생각해보았다. 나는 지금 삶이 좋다. 조용한 곳에서 책을 읽는 것이 좋고, 바닷가 길을 따라 자전거를 타는 것이 좋다. 동네 사람들과 마주치면 인사를 나누는 것이 좋고, 누군가에서 나의 기쁨을 나누어주는 것이 좋다. 친구를 만드는 것이 좋고, 그 친구가 슬퍼할 때 옆에 있어 줄 수 있는 것이 기쁘다. 슬픈 것도, 화가 나는 것도. 그런 감정 하나하나가 소중하게 다가왔다. 이게 행복이라고 하는 것일까? 그럼 나는 행복한 사람을 살고 있다고 당당히 말할 수 있는 것인가. 다른 사람들에게 행복을 물었을 땐, 편안함이 행복이라고 이야기했다. 그렇다면 편안한 것만이 행복한 것일까. 정말 행복한 것은 무엇인가.

··· (중략) ···

에리히 프롬의 글을 읽고 나서도 행복이 정확히 무엇인지 알아내지는 못했다. 행복이라는 것은 너무나 추상적이고, 사람에 따라서 행복을 설명하는 것이 다르기 때문이다. 하지만 나는 지금이 안정적이고, 사는 것이 즐겁고, 힘들지만 기쁘다. 고민 따위는 생각나지 않는다. 그래서 나는 행복하다고 말하고 싶다. 행복이 정확히 무엇인지, 어떻게 설명해야 할지도 모르겠지만, 지금 나는 누군가를 사랑하는 것이 즐겁고 그 사람의 행복을 비는 것이 좋기에. 나는 행복하다고 말하고 싶다. 그리고 천천히 나의 행복을 찾아 떠나갈 것이다.

고개를 들어 창문 밖을 바라보니 창문 밖엔 하얀 눈이 내리고 있었다.

사랑은 믿음이 필요하고
사람은 미움받을 용기가 필요하다
사랑도 사람도 없다면
그것이야말로 죽음이다

개 화

開 花

0

우리가 성장해가는 순간마저도 시간은 빠르게 지나간다. 새로운 해가 우리를 찾아왔고 대여섯 번의 눈이 더 내렸다. 학교가 겨울 방학을 하고서부터 길거리엔 아이들이 눈사람을 굴리고 다닌다. 매끈한 돌 코를 가진 눈사람, 낡아 보이는 목도리를 두르고 있는 눈사람. 머리카락이 있는 눈사람도 있었다.

똑같은 사람이 없는 것처럼 눈사람들도 자신의 개성을 띄고 있다. 그 모습이 퍽 귀여웠다.

야, 빨리 들어와. 밥 안 먹을 거야?

가위바위보에 져버린 선우진은 오늘 아침 당번이 되었다. 아마 김치볶음밥이거나 아니면 라면일 것이다. 지금까지 봐왔던 선우진은 요리를 더럽게 못 하기 때문이다.

빙고. 오늘의 아침은 어김없이 라면이다. 그러나 선우진의 라면은 일반적인 라면과는 다른데 그 이유가 우유 때문이다. 별다른 이유는 없다고 하지만 매번 라면을 끓일 때면 우유를 넣는다. 그래서 국물이 맛있는 건가. 모르겠다. 맛있다고 엄지를 내보여야 이내 밥을 먹기 시작한다.

설거지는 네가 해라.

아니, 왜. 내가 가위바위보 이겼잖아.

야, 나 지금 나흘째 아침밥 했어. 예의상이라도 한 번은 해줘야지.

티격태격 싸우다 보면 시간이 참 잘도 갔다. 아이스크림을 하나 물곤 침대에 기대 있으면 고요했다.

SNS 안에서 주변인들은 친구들과 놀러 가기도 했고, 해외 어학연수를 가기도 하더라. 사진 속에 있는 친구들의 모습은 행복해 보였다. 사진을 넘기다 전애인의 모습도 보였다. 한참을 들여다보곤 이내 폰을 덮었다. 그리곤 눈을 감았다.

자려고?

…. 넌 내가 여기 왜 왔는지 모르지.

어?

내가 한 번도 이야기 안 해줬잖아. 왜 안 물어봐?

그냥. 언젠간 말해주겠지 싶어서.

안 궁금했어?

음…. 궁금…. 잘 모르겠어. 네가 편할 때 이야기하겠지.

근데 너 은근슬쩍 나한테 너라고 부른다?

폰을 보던 선우진은 나를 보며 싱긋 웃더니 이내 폭소했다. 왜 웃냐며 이상하게 쳐다보다가 괜히 나도 모르게 웃음이 났다. 고요한 집 안은 선우진과 나의 웃음소리만이 울려 퍼졌다.

그냥 네가 편할 때 이야기 해줘. 아, 오늘은 누군가가 내 이야기를 들어줬으면 좋겠다. 싶을 때 말이야. 그러면 내가 들어줄게.

그런 선우진을 보곤 쓴 미소를 지었다. 언젠간 말해야 할 것이 있었다. 그리고 그것을 이제는 꼭 말해야겠다는 생각이 문득 들었다.

1

아마 내가 원하는 삶이 이런 삶이 아니었을까. 특별한 거 하나 없지만, 웃고만 살 수 있는 삶. 하지만 아직도 무언가 텅 비어있는 기분이었다. 지극히 원초적인 문제만 해결된.

내일부턴 날이 따뜻해진다고 했다. 꽃들이 봉우리를 피우는 시기가 왔다는 말이기도 하다. 분명 얼마 전에 새해가 나를 찾아온 것 같은데. 벌써 봄이 온다. 하긴 정한이 이 섬에 온 지도 꽤 됐으니. 약속한 일 년이 점점 다가오고 있는 것만 같기도.

정한과 꽃이 피면 섬에서 가장 높은 곳에 있는 등대를 보러 가기로 했다. 그 언덕에서는 섬 전체가 훤히 보이는데 꽃이 피는 계절이 되면 형형색색의 꽃나무들을 볼 수 있다.

아직도 잘은 모르겠다. 이렇게 사는 것이 정말 맞는 것인지. 더는 죽고 싶다는 생각은 들지 않는다. 그러면 잘 된 것이 아닐까. 아니, 어쩌면 행복해서 죽고 싶다는 말이 맞을 수도 있겠다. 언젠가 이 행복이 없어지게 된다면 난 어떤 것을 목표로 두고 살아야 하는지 모르겠다.

정한이 그 말을 꺼냈을 때, 궁금증보다는 두려움이었다. 정한의 이야기를 정말 내가 들을 수 있을까. 그렇다면 나는 정한에게 어떠

한 말을 건네야 할까. 괜찮다? 힘내라? 원시적인 해결법밖에 생각나
지 않는다.

내가 정한에게 해줄 수 있는 것이 무엇이 있나.

1

정말 날이 따뜻해졌다. 서늘했던 밤바람도 따스함이 묻어있었다. 정한과 맥주 두 캔과 과자 봉지 하나를 두곤 평상에 자리를 잡았다. 정말 오랜만인 것 같았다. 캔을 들어 맥주를 삼켜낸 정한은 아저씨 같은 소리를 내었다. 그런 정한이 웃겨 배를 잡고 웃으니 귀가 빨개진 정한이었다.

손에 들고 있던 맥주 캔을 입에 대니 쌉쓸한 맛이 났다. 아무런 말도 하지 않았지만 고요하진 않았다. 왜인지는 모르겠으나.

나 애인한테 차여서 이 섬에 온 거야.

아-.

정말 오래 만났던 사람이었는데. 내가 못 해준 게 참 많은 사람이었는데. 나한테 미안하다며 울더라. 커플링을 빼서 나한테 주는데 힘들더라, 그거 하나 받는 게. 그거 그 사람이 열심히 돈 벌어서 맞춰준 거거든.

정한의 말에 고개를 끄덕이는 거밖에 할 수 없었다. 그렇게 진지한 정한의 모습을 본 적이 없었기에.

걔가 참 가난했거든. 부모님은 해외에서 사업하고 계시는데 잘 안 되시는 것 같았고. 자기가 돈 벌어서 학교도 다니고, 공부도 하고. 근데 난 아무것도 해줄 수가 없었어. 어쩌면 피한 걸 수도. 자기 사는 것도 힘들면서 내 생일이라고 그 비싼 반지를 선물해주더라. 그 반지가 더는 걔 손가락에도, 내 손가락에도 없다는 사실이 무서웠어. 솔직히 말하자면 난 걔 못 잊은 것 같아. 아무리 힘 써봐도 안 되더라.

많이 사랑했어?

사랑. 이라고 말해도 될지 모르겠어.

아, 취했나 보다. 라고 말하며 손목으로 눈을 가리는 정한을 바라보다 정한의 손을 꽉 붙들었다. 지극히 일차원적인 위로 방법일 수도 있지만. 이것이 위로가 되길 빌었다.

넌 뭐 없어?

뭐가.

그냥 뭐든. 그냥 아무 말이라도.

눈을 가리고 있는 정한의 손목을 내리니 정한의 눈은 눈물로 짓물러져 있었다. 헛웃음을 치고 눈 주변을 닦아댔다. 그런 정한의 눈을 바라보았다. 이내 두 눈이 마주쳤을 때.

내 이름은 선우진이야. 성이 선우, 이름이 진.

응?

그리고 난 22살이야. 이 섬에 온 지는 2년 정도 됐어.

뭐 하는 거야.

내 나이 19살에 다리 위에서 자살하려고 했어. 무서운데 소리칠 때가 없었어. 그냥 지나가는 소음 정도였겠지.

뭐? 아니, 뭐라고?

근데 그때 누가 내 다리를 붙잡더라. 그대로 인도로 넘어졌는데 그 사람이 나보고 살아달라며 울부짖더라. 일면식도 없는 사람이 말이야. 그리고 이 섬에 왔어.

그게 무슨….

이 섬에 온 지 1년 정도 됐을 때쯤. 나 죽으려고 했어. 더는 살고 싶지 않았어. 내가 왔다가 갔다는 것도 티 내고 싶지 않았어. 그래서 입고 있던 옷들도 잘 개어서 안았지. 발을 내딛으려고 했는데 어김없이 그 사람이 생각나더라고. 처음 보는 사람한테 살아달라며 우는 사람이 또 어디 있을까. 그래서 그 자리에 주저앉았지 뭐. 엄마, 아빠, 할머니한테 탓했어. 왜 나만 두고 갔냐고 말이야.

왜 말 안 했어.

이 이야기? 그냥 나도 내가 편할 때 말하고 싶었어.

힘들었을 거 아니야.

괜찮아. 난.

그리고 이 섬에서 널 만났잖아.

난 아무것도 해줄 수 없어.

아니, 넌 이미 많은 걸 해줬어. 날 두 번이나 살려낸 그 사람 말이야.

응.

그 사람, 너야. 다른 사람 아니고 너야. 확실해.

그게 무슨 말이냐는 듯 당황스러운 눈으로 나를 쳐다본 정한의 두 손을 잡았다.

넌 기억 못 할 거야. 하지만 난 기억해. 처음 보는 나를 보며 살아달라고 울부짖은 사람, 죽으려고 한 나를 꽉 잡아준 사람. 너야. 너 맞아. 그러니까 넌 대단한 사람이야. 그리고 난 그 대단한 사람의 친구야.

정한의 몸을 꼭 끌어안았다. 정한은 어린아이처럼 울었다. 그리곤 나에게 넌 대단한 사람의 친구라며 살아줘서 고맙다며 속삭였다. 정말 다행이라는 정한의 말은 잊을 수 없을 것이다. 아마 내가 죽기 전까지. 아니, 내가 죽어서도 기억하고 싶다.

천년, 만년. 그렇게 기억하고 싶다.

그날 밤, 한 통의 메시지가 왔다. 두 눈을 비비며 폰을 켜니 밝은 화면에 눈을 찡그렸다. 밝기를 10%로 내린 후, 알림창을 내렸다.

「

바다 위에 '사랑'이라는 배 한 척을 띄우고
함께 한 곳을 바라보는 여행을 시작하려 합니다.
저희 사랑을 약속하는 소중한 시간
귀한 걸음으로 축복해주세요.

…

」

1

그 아이는 참으로 멋진 사람이었다. 밝고 에너지가 넘치는 아이였고, 세상과 도태되어 살던 나를, 꼭 안고 바깥세상을 구경시켜준 아이였다. 살면서 이렇게까지 나를 좋아해 주는 사람이 있을까 생각하게 해준 사람이다.

나는 그런 아이가 사랑한다고 말하면 좋아한다고 답할 수밖에 없는 사람이었다.

나의 자취방에서 꾸겨져 앉아 이야기를 나누곤 했다. 오늘 아침엔 무슨 밥을 먹었는지, 오늘 알바는 어땠는지, 약은 잘 챙겨 먹었는지, 좋아하는 가수가 앨범을 냈다는 그런 말들. 그 아이는 재잘대다가 잠자리에 들어버리기도 했다. 아마 그날도 시답잖은 이야기를 풀어내고 있었을 것이다.

나 갑자기 생각났는데, 넌 결혼한다고 하면 어떻게 하고 싶어?

결혼? 너 결혼하고 싶어?

아니, 아니. 그건 아니고. 그리고 지금 우리 형편으로 결혼은 못해. 그럼 둘 다 힘들기만 하겠지. 내가 하고 싶다는 게 아니고 너말이야. 넌 어떤 결혼식을 하고 싶어?

딱히 생각 안 해봤는데.

...

아, 알았어. 난 그냥 작게 하고 싶은데. 어차피 올 사람도 없고. 소박하게 배우자랑 주변인들 몇 명. 이렇게 하고 싶어. 너는? 너는 어떻게 하고 싶은데?

난 엄청 크게. 완전, 완전 크게. 궁전에 사는 사람처럼. 그렇게 해서 사람도 많이 부르고 싶어. 그리고 난 하얀 신발 신을 거야.

하얀 신발? 왜?

난 하얀색이 좋아. 그리고 나는 일한다고 하얀 신발을 신어본 적도, 사본 적도 없거든. 그래서 새하얀 신발 신고 입장하고 싶어.

미안….

미안하다는 말. 하지 마. 넌 미안한 거 하나도 없으니까.

그냥 내가 조금 더 잘 살았으면 해서.

난 너한테 받고 살고 싶은 생각 없어. 그 자체로 사랑하는 거니까. 미안해하지 마.

응….

그럼 대신 나랑 약속 하나만 하자.

무슨 약속.

서로 결혼할 때 꼭 말해주기.

응?

너랑 나랑 결혼을 못 할지도 모르잖아. 갑자기 헤어질 수도 있는 거고, 누가 한 명이 도망갈 수도 있고.

그게 무슨 소리야.

말이 그렇다는 거지.

정색을 하며 쳐다보는 나의 볼을 마구 주무르던 그 아이의 얼굴을 아직도 잊지 못했다. 정말 어디 멀리 떠나는 사람처럼.

그니까. 만약 서로 곁에 서로가 아니라면 말이야. 우리가 정말 헤어지고 서로의 사람을 찾게 되어 결혼하게 된다면 꼭 말해주기로 하자. 우리가 아무리 슬프게 헤어졌더라도. 그거 하나만큼은 꼭 해주자.

…

그리고 그 말을 들은 상대방은 꼭 오기로 하자. 무슨 일이 있어도 꼭. 어때, 약속할래?

…

아, 하자. 내 부탁이야.

그렇게 말하던 그 아이는 알았다는 내 대답을 듣고서야 나의 볼을 놓아주었다. 그러면서 실실 웃던 그 아이가.

연락이 끊겨 더는 어떻게 사는지조차도 몰랐던 그 아이가. 약속을 지키기라도 한 것인지. 솔직히 처음 그 문자를 보았을 땐, 화가 났다. 손이 부들부들 떨리기도 했다. 그리고 몇 분쯤을 그저 지켜만 보고 있으니 *탁.* 하는 느낌과 온몸에 힘이 빠졌다. 잘살고 있어서 다행이라는 생각이 들었다. 분명 그 아이라면 좋은 사람을 만났을 것이라는 생각을 했다. 그리고 눈물이 흘렀다. 안도의 눈물인지, 불안의 눈물인지 알 수 없었다.

그렇게 한숨도 자지 못하고 뜬눈으로 밤을 지새웠다. 아직 오늘의 해는 떠오르지 않았다. 벽에 등을 기대고 앉아 두 눈을 감았다. 과연 나는 그 아이의 결혼식에 가고 되는 사람인가.

전화번호도 바뀌었던 그 아이는 왜 나에게 이런 문자를 보낸 것인지, 그 아이는 나의 번호를 왜 아직도 기억하고 있는 것인지, 도대체 왜 그 약속을 지키려고 드는 것인지. 왜 나를 잊지 않은 것인지. 도통 이해가 되는 부분이 없었다. 징징-. 하는 소리와 함께 손에 들려 있던 폰이 울려댔다.

저장이 되어 있지 않은 번호였으나 너무나 익숙한 숫자들의 배열. 통화 버튼을 눌렀다. 아무런 말도 들리지 않았으나 그것이 우리의 대화 같았다.

받았네. 안 받을 줄 알았는데.

…

잠은? 내가 깨운 건가.

아니, 잠 안 잤어.

왜. 요즘에도 잠 못 자? 약은 잘 챙겨 먹는 거지.

…. 넌 아직도 내 걱정이네.

…

너 결혼한다며. 연락 봤어.

아, 응. 우리 약속했었잖아. 꼭 말해주기로.

번호는 안 바뀌었네. 저번엔 없는 번호라고 하던데.

나 잠깐 외국에 있었거든. 귀국하고 똑같은 번호로 개통했어. 혹시나 네가 내 번호 기억할까 해서.

왜?

우린 전애인도 맞지만, 친구였잖아.

친구…. 그럼 뭐가 달라지나…. 왜 전화했어?

…

응?

결혼식, 와줄 거지?

령아.

응.

우리 이제 연인 사이 아니야.

알아.

내가 거길 어떻게 가겠어. 그것도 전애인이 어떻게, 무슨 명분으로 거길 찾아가. 결혼식이라도 엎어달라는 거야? 너, 진짜….

선우진. 난 너랑 그냥 전연인 관계 아니잖아.

뭐?

우리 그냥 그런 사랑하고 그냥 그런 사이였다가 헤어진 거 아니잖아. 우리…. 친구였잖아.

…

둘 다 옆에 아무도 없고 아무런 편도 없었을 때. 곁에서 서로의 버팀목이 되어주는 그런 친구였잖아.

그게 무슨. 령아.

넌 가족이랑 싸웠다고 남이 될 수 있니. 연인이기 전에 우린 친구였고, 친구이기 전에 가족이었잖아. 우리.

…

말도 안 되는 소리라고 생각할 수도 있어. 이해 안 되는 것도 알겠는데.

…

난 네가 꼭 와줬으면 좋겠어.

…

우리 약속했었잖아. 어떻게 헤어졌든 상대방의 결혼식에는 꼭 가기로. 약속 지킨다고 생각해도 좋으니까.

…

네가 내 결혼식에 와주었으면 해. 진아.

통화를 어떻게 마쳤는지 모르겠다. 머리는 복잡했고 눈에서는 쉴 틈 없이 눈물이 흘렀다. 정말 내가 그곳을 가는 것이 맞는 것인지. 이 섬을 떠나 서울로 갈 자신이 없었다.

과연 나는 그곳에 어울리는 사람인가.

0

어제부터 선우진을 보지 못했다. 집 밖으로 나오지도 않고, 내 집에 찾아오지도 않았다. 습관처럼 이른 아침에 눈이 떠졌지만, 선우진은 보이지 않았다. 걱정되는 마음에 찾아가 볼까 생각도 해봤지만, 선뜻 발이 움직이지 않았다.

점심쯤이 되어서야 선우진에게서 전화가 걸려왔다. 밖으로 나가기 위해 옷을 갈아입는 탓에 첫 번째 전화 알람을 듣지 못했다. 두 번째 전화 알람을 듣곤 황급히 폰을 들었을 때 선우진이라는 세글자만이 보였다.

여보세요?

...

여보세요? 선우진?

응.

너 왜 무슨 일 있어? 아니, 너 어딘데. 집 아니야?

맞아.

왜 안 나와. 너 무슨 일 있지.

아무 일 없어. 그냥 귀찮아서 안 나간 거야.

아니…. 말은 해줘야 할 거 아니야.

...

…

야, 한아.

응.

우리 꽃 보러 갈까.

아직 꽃 안 피웠어. 바보야.

곧 필 것 같아. 한 일주일 뒤쯤.

아직 많이 남았구먼, 뭐.

우리 꽃 보러 가자.

아직 안 폈다고. 진짜 왜 이러지.

…

…

딱 일주일 뒤에 보러 가자.

너.

응.

…. 아니야. 알았어.

내가 데리러 갈게.

응.

…

…

선우진.

…

우리 꼭 꽃 보러 가는 거야. 알았지.

응. 꼭.

일주일 뒤면 나오는 거지.

응.

알았어. 꽃 보러 가자.

1

7일. 그 시간 동안 아무것도 하지 못했다. 정리된 것도…. 단, 한 개도 없었다. 그냥 시간을 하나씩 죽여나갔다. 방 안에 가만히 있다 보면 뭐라도 해야 할 것 같은 기분이 들곤 했는데, 이번에는 아무런 기분이 들지도 않았다.

나에게 주어진 시간은 딱 한 달이었다. 한 달이 지나가기 전에 결정을 내려야 한다. 집 안에서 그런 생각들을 하는 사이, 섬에는 꽃들이 피고, 무성한 잔디들이 피어났다. 새로운 인생을 맞이하는 것만 같았다.

어른이 되는 것은 무엇일까. 열심히 돈을 벌어서 내 집을 마련하는 것? 슬픈 일이 있어도 웃음을 보일 수 있는 것? 아니, 뭐 전애인 결혼식장을 웃으면서 들어갈 수 있는 거일까. 과연 그곳에 가서 내가 얻을 수 있는 무엇일까. 아니, 난 그곳에 정말 가도 되는 사람인가.

7일. 그중 3일은 화를 냈다. 내가 가나, 안 가나 똑똑히 지켜보라며 화를 냈다. 그리고 그 뒤 이틀은 울었다. 차라리 영원히 그렇게 없어진 사람처럼 살지. 왜 나를 찾아와서 힘들게 하냐며 울어댔다. 그리고 마지막 이틀은 그냥 웃었다. 무성하게 피어있을 꽃들을 생각하며. 지금 당장 다가오는 거. 그것만 생각하기로 했다.

당일 아침, 웬일인지 푹 잠을 자고 일어났다. 자리에서 일어나 책상 앞에 앉았다. 그리고 입꼬리를 올려 웃었다. 거울 너머로 보이는 내 모습은. 어딘가 이상했다.

한 번도 입지 않았던 연노란색의 스웨터를 꺼내 입었다. 그냥 오늘은 밝은 사람이 되고 싶었는지도 모르겠다. 방 밖으로 걸음을 내디뎠고, 식탁 위에 있는 알약 통을 집었다. 이 섬에 오고 나서부터 수면 유도제를 먹지 않았다. 잠은 오지 않았지만, 이겨내고 싶었던 것 같다. 영양제들을 입에 털어 넣었다.

정한의 집으로 걸어가는 길에는 가로등이 없다. 사실 이 섬에 가로등 자체가 별로 없긴 하지만. 그래서 이른 아침이라도 이 길은 암흑처럼 어둡다. 그래도 무섭다는 생각은 한 번도 들지 않았다. 근데 오늘따라 이 길이 더욱 어둡고, 한산하고, 을씨년스럽다는 생각이 들었다. 누군가 나를 쳐다보는 것만 같고, 따라오는 것만 같은 기분이랄까. 발걸음이 계속해서 빨라졌다. 거의 달리다시피 걸어가다가 누군가와 부딪쳤다.

뭐야. 선우진, 왜 그래.

아.

아니, 왜 달려오고 그래.

아니야. 아무 일도 없어.

넘어진 내 손을 잡은 그 손이 너무 따뜻했다. 무서움이 사라지고 기대감만이 나를 집어삼켰다. 이대로 다 끝나버려도, 게임이 끝나는 것처럼 마무리되어도 좋을 것만 같았다. 진짜 다 괜찮을 것만 같다.

이 섬에서 꽃이 가장 잘 보이는 언덕으로 가려면 가파른 길을 걸어야 한다. 그래서 인적이 드물기도 하고. 그 길을 오를 때, 정한은 내 손을 놓지 않았다. 낯간지럽게 왜 잡고 있냐며 손을 빼려고 했으나 혹시나 넘어지면 어떡하냐며 웅앵대기 바빴다.

언덕엔 벤치가 있는데 아마 잡초들로 뒤덮여있을 것이다. 아니면 녹슬거나. 오랫동안 사람의 손이 닿지 않아서이다.

예상처럼 벤치엔 잡초들로 인해 앉을 수 없었다. 마치 내가 서 있을 곳 하나 없는 세상처럼. 북받쳤다. 감정이. 다 알고 있는 사실이 분명한데. 정한은 나를 언덕 끝으로 데려갔다. 그곳은 섬 전체가 보이는 곳이었다.

지금 이 섬에는 형형색색의 꽃들이 여기저기 피어 섬을 꾸미고 있었다. 그 모습이 아름다웠다. 정말…. 아름다웠다. 아주머니의 옥상에 있는 화분에도 예쁜 보라색 꽃이 피었다. 초등학교 운동장을 두르고 있는 꽃봉오리들도 자신을 피워냈다. 시장 할머니의 밭에도 이름 모를 꽃들이 피어올랐다.

그때 정한은 여기 앉으라며 나를 끌었고, 그곳에는 두 명이 간신히 앉을 조그마한 나무 의자가 있었다. 그 의자를 보는데. 괜한 안도감이 들었다. 어디서 온 안도인지는 모르겠다.

뭐야. 여기 의자 없을 텐데. 언제 가져왔어?

일주일 전에 혼자 올라왔었는데 저 벤치에 잡초가 엄청나게 자라 있어서 못 앉겠더라고. 그래서 이 정한이 만들었지.

네가 만들었다고?

휘둥그레 쳐다보는 나를 보곤 정한은 농이라며 웃어댔다. 그런 정한을 째려보곤 의자에 궁둥이를 붙였다. 의자 주위에는 잡초들이 피어나 있었는데 자칫하면 더러워 보일 수 있는 잡초들이었으나 오늘은 그것들마저도 좋았다. 눈앞에는 절경이 펼쳐져 있고, 내 옆에는 나의 편이라고 말할 수 있는 사람이 있다. 공기는 깨끗하고 하늘은 따스했다. 두 눈을 감고 풀 내음을 즐겼다.

너 왜 안 물어봐.

뭘.

왜 일주일 동안 밖에도 안 나오고, 너도 안 봤는지.

굳이 물어봐야 하나. 사람이 살다 보면 그러고 싶은 날도 있는 거지.

큭. 거리며 웃음이 나왔다. 그 말을 하는 정한의 얼굴엔 아무런 표정이 없어서.

왜 웃어?
그냥. 대답이 너 같아서.
나 같다고?
응. 항상 나 먼저 생각해주더라 넌.

반했냐며 웃는 정한을 보고 있으니 기분이 괜스레 나아지는 것 같고. 어쩌면 이런 너를 원하고 있었을지도 모른다고.

나 걔한테 연락 왔어.
누구?
령이 말이야.

아-. 하는 탄식과 함께 분위기는 숙연해졌다. 뭐라고 연락 왔는데. 그 말을 하는 걔의 얼굴이 어땠더라. 화가 나 있었나. 아니면 무표정이었던 가.

결혼한대. 다음 달에.
잘됐네. 그래서?
내가 거길 와줬으면 좋겠대.

…

…

왜?

예전에 그런 말 했었거든.

무슨 말.

어떻게 헤어졌든 서로의 결혼식에는 꼭 오기로. 연인이기 전에 친구였고, 친구이기 전에 서로의 버팀목이었으니까.

…

그 당시에는 대답해달라는 걔 말에 마지못해 알았다고 했었거든. 근데, 걘 그 약속 지키러 왔더라. 진짜 웃기지.

…

나 일주일 동안 무슨 생각 했는지 알아? 내가 과연 애인이 생기고 결혼을 하게 된다면 령이에게 연락할 수 있을까. 과연 나는 그 애에게 연락을 할 수 있는 사람인가.

…

한아.

…

정한.

응.

나 말이야. 그 결혼식에 가도 되는 사람일까.

…

내가 그곳이랑 정말 어울리는 사람일까.

…

한아.

…

나 너무 무서워.

정말 모르겠다는 말과 함께 두 눈에서 눈물이 흘렀다. 이 눈물은 내가 슬퍼서 우는 눈물일까. 아니면 다 이 황홀한 절경 때문일까. 목구멍에서 도저히 소리가 나지 않았다. 꽉 막힌 목과 주체 하지 못 하는 눈물과. 스르륵거리는 바람 소리와 정한의 따뜻한 품.

괜찮아. 괜찮아. 넌 그래도 되는 사람이야.

그제서야 막혀있던 목구멍에서 소리가 튀어나왔고, 이내 아이 같 은 울음이 터졌다.

일주일 동안 내가 그토록 원하던 위로일 지도 모른다. 갈구했던 품일 지도 모른다.

내가 지금 당장 알 수 있는 것은 정한의 목소리는 참으로 따뜻하 다는 것뿐이었다. 그 목소리에 숨어 작지만 큰 외침을 보내고 싶었 다.

0

한 달이라는 시간은 눈 깜짝할 새에 지나간다.

알람 소리와 함께 그날이 시작되었다. 옷가지를 챙겨입곤 밖으로 향했다. 건물 밑에는 선우진이 기다리고 있었다. 가지런한 머리와 차려진 옷을 입은 선우진의 모습은. 좀, 이상했다. 그냥 기분이 뭔가 엉성했다.

잠은 잘 잤어?

응. 오랜만에 엄청 푹 잤어.

다행이네. 내일 아침 배 타고 들어와?

모르겠는데 아마도 오늘 마지막 배 타고 들어올 것 같아.

배 타면 연락해. 데리러 나갈게.

굳이야. 애도 아니고.

떨지 말고. 좋은 시간 보내고 와.

응.

선우진.

응.

잘 다녀와.

응.

서울로 가는 배에 선우진을 태웠다. 곧 배기음 소리가 들리더니 배가 천천히 움직였다. 나는 선우진을 향해 손을 크게 흔들었고, 선우진은 그런 나를 보며 손을 흔들어주었다.

배가 아주 완벽히 희미해져 이제 더는 모습이 보이지 않았다. 그제야 발길을 돌렸다. 처음 선우진이 나에게 청첩장을 받았다고 말한 순간. 심장이 쿵 하고 내려앉았다. 어쩌면 의식적으로 서로 꺼내지 않았던 이의 이야기였기 때문인 것 같다. 가도 될지 모르겠다며 눈물을 보이는 선우진을 보았을 땐, 정말 내가 무슨 말을 해줘야 할지 감이 잡히지도 않았다.

아니, 내가 그 말을 들었을 때, 어떤 기분이었는지도 모르겠다. 화가 났던가. 그래, 화가 좀 난 것 같다. 선우진의 옛 애인이 갑작스레 연락이 와 결혼을 한다고 밝힌 것도 화가 났고, 그 이야기를 듣고 자신이 정말 가도 되는지 모르겠다며 울부짖던 선우진에게도 화가 났다. 그렇다면 내가 화가 난 이유는 무엇일까.

집 앞 담벼락에 서서 발길질을 했다. 모르겠다. 그냥 선우진이 그 결혼식에 간 것이 다행이란 생각이 들다가도 짜증이 났다. 그 일면식도 없는 사람에게 빼앗긴 기분이었다. 어린아이가 된 기분이었다. 선우진이 없는 이 섬은 굉장히…. 재미가 없었다. 장난 칠 사람도 없었고, 그 장난에 화를 내주는 사람도 없었다.

외로웠다.

좀 많이…. 외로웠다.

1

서울에 도착해서 가장 먼저 본 것은 높은 건물들이었다. 섬에는 높은 건물이라 해봤자 3층짜리 회관뿐이었다. 고작 섬에서 산 지 2년이 되었다고 해서 서울이 낯설었다. 넓은 도로에는 차들이 밀려있었고, 인도에는 수많은 사람들이 제 일을 하고 있었다.

택시에 올라타 기사님께 주소를 불러드리곤 나지막이 숨을 쉬었다. 분명 배 안에서는 심장이 쉴 새 없이 뛰었던 것 같은데 막상 지금은 평온했다. 택시 안에서는 특유의 향수 냄새가 났다. 나는 신고 있는 신발을 쳐다보곤 웃음을 지었다. 분명 비싸다는 이유로 택시도 잘 타지 않았고, 굳이 머리를 가지런히 정돈하지도 않았을뿐더러 갖추어진 옷을 입어본 것도 언제였는지 기억이 나지 않는다. 이 상황이 웃겼다. 몇 년 만에 전애인에게서 연락이 오질 않나, 그 연락이 청첩장이질 않나. 절대 가지 않겠다고 다짐했던 내가 그 결혼식을 가기 위해 멀쩡한 사람인 척하는 것도 웃겼다.

분명 다시는 오지 않을 생각이었다. 서울이라는 곳. 좋은 기억이라곤 전부 사라져 없어져 버린 지 오래고 사람들이 어떻게 사는지조차 궁금하지 않았다. 분명 그렇게 생각했는데. 그 아이를 마지막으로 볼 수 있다는 생각에 안도감이 진짜 짜증났다. 하나같이 마음에 드는 것이 없었다.

결혼식장은 외관상으로도 정말 멋있는 성당이었다. 성당 근처에는 하객들로 보이는 사람들이 북적거렸고, 고급스러운 옷을 입은 사람들도 눈에 보였다. 그사이에 끼어 있는 나는 엉성하기 짝이 없었다. 본식이 1시간 정도 남은 시점이었다. 아는 사람 하나 없는 이곳은 마치 다른 차원 같았다. 나의 시간은 멈추어 있으나, 그들의 시계의 초침은 쉴 새 없이 움직이는. 이곳에 서 있다가는 사람들에게 치여 그들의 차원으로 넘어갈 것만 같았다. 이내 나는 발길을 돌렸다.

발길을 돌려 온 곳은 고작 카페였다. 무작정 인도를 걷다가 아무 곳이나 들어왔다. 카페 안에는 조용히 LP가 돌아가고 있었다. 한쪽 벽에는 LP판들이 빼곡히 채워져 있고 다른 한쪽 벽에는 커다란 창문이 자리하고 있었다. 홀린 듯 창문 앞 의자에 자리를 잡았다. 카페 주인분은 유리잔을 닦고 있었고 그런 주인의 옆에는 고양이가 누워있었다.

아메리카노, 카푸치노, 아포카토, 에스프레소…. 한창 상하차 일을 하였을 때 달고 살던 게 커피였는데 어느 순간 먹지 않았다. 오래 살고 싶었던 걸까. 헛웃음이 나왔다.

주문할게요.

네.

유자차 따뜻하게 부탁드려요.

네. 5500원입니다.

정말 아무 생각 없이 들어온 카페임에도 불구하고 이곳은 안정감을 주었다. 커다란 창문 밖으로는 파릇파릇한 풀잎들이 흔들렸는데 도시 한복판에 이런 경치가 있을 수 있다는 것이 신기했다. 잔잔히 들려오는 재즈 음악도, 고양이가 움직일 때마다 들리는 발톱소리도, 은은하게 퍼져있는 커피 향도, 김이 올라오는 유자차도, 재즈 음악에 맞추어 고개를 흔드는 카페 주인분도. 그 모든 게 나를 달래주었다. 새로운 것을 찾은 듯한 느낌.

폰을 두드려 시간을 확인하니 본식이 시작되기 20분 전이었다. 걸어서 성당까지 가면 얼추 시간이 맞을 것이다. 자리에서 일어나 컵을 들고 카운터로 향했다. 빈 컵을 받아든 주인은 잠시만 기다려 달라고 하곤 어디론가 들어갔다. 이내 꽃 한 송이를 들고나온 주인은 나에게 꽃을 전하며 말했다.

고귀함이라는 꽃말을 가지고 있는 목련이에요. 부디 오늘만큼은 좋은 일만 있기를 바라요.

감사합니다….

안녕히 가세요.

옅은 미소를 보이는 주인분을 보곤 다짐했다.

식장으로 돌아가는 길이 왜 이렇게나 가깝게 느껴지는지 모르겠다. 분명 카페까지의 거리가 꽤 되었던 것 같은데. 본식이 시작하기 10분 정도 남은 시간이었다. 그래서인지 식장을 둘러싸고 있던 인파들이 정리되어 있었다. 성당 건물을 쳐다보았다.

분명 그땐 우리가 결혼을 할 수 있을까 생각했던 것 같은데. 넌 벌써 너의 사람을 찾은 거니. 사실 너를 만나고 있을 땐, 너의 사람이 나인 것만 같았다. 그래서 너무 미안했다. 보잘것없는 나라서. 내가 죽어버리면 너의 운명도 바뀌지 않을까 생각했다. 이렇게 성대한 곳에서 너의 결혼식이 열린다는 것이 행복하다. 정말 좋은 사람을 만난 것 같아서. 나였다면 못했을 것이니까.

건물의 문을 열고 들어가니 곧 식이 시작된다는 이야기를 들었다. 성당 안에는 사람들로 가득 차 있었고, 화려한 샹들리에와 촛불들이 흩날렸다. 성당 안에는 꽃내음이 뿌려져 온몸을 감쌌다. 식장 안으로 들어가 인파들 사이에 섰다. 이곳에 없는 사람처럼.

지금부터 결혼식을 진행하겠습니다. 안녕하십니까? 저는 이전 예식 사회를 맡은 사회자 윤시은입니다. 오늘은 조금 더 새롭고 특별한 예식을 위해 주례 없는 결혼식으로 진행하려 합니다. 예식을 진행하면서 소홀한 부분이 있더라도 너그럽게 봐주시고 이해 부탁드리겠습니다.

자, 지금부터 신랑과 신부의 예쁜 모습이 담긴 웨딩 영상 상영이 있겠습니다.

사회자의 말이 끝난 뒤, 벽면에 커다란 스크린으로 영상이 나왔다. 그 애의 얼굴은 오랜만이었다. 어딘가 더 성숙해진 듯한 느낌. 그때와는 다른 얼굴이었다. 항상 웃고 있었으나 볼은 파여있고, 피곤함은 가득 내려와 있던 얼굴이 아니었다. 두 볼은 통통히 올라와 있고, 피부는 매끈했다. 그 모습을 보는데 다행이다는 생각이 들었다. 정말 잘살고 있어 주었던 것만 같아서. 곧, 영상은 꺼졌다.

다음은 오늘의 주인공인 신랑과 신부의 동시 입장이 있겠습니다. 하객 여러분께서는 큰 박수로 맞이해 주시기 바랍니다.

신랑, 신부 입장!

곧이어 화려한 문이 열리고 두 명의 인영이 보였다. 화사한 조명들 사이로 그 둘은 걸어 나왔다. 그 애의 모습이 보였다. 몇 년 만에 보는 얼굴. 그 얼굴에는 웃음이 가득했다. 그 몇 년 전, 그 여름밤 때처럼 말이다. 긴장한 기색은 전혀 보이지 않았다. 큰 환호 소리 사이로 걸어갔다. 한껏 차려져 있는 그 애의 모습을 보니 기분이 이상했다. 전혀 다른 사람 같았다. 그 애의 발에는 새하얀 구두가 신겨있었다.

나만, 나 하나만. 그곳이랑 어울리지 않는다는 생각이 들었다.

0

밥은 먹었을까. 아마 안 먹었을 것이 분명한데. 잘 도착은 했으려나. 울지는 않았을까. 걱정되는 게 한두 개가 아니었다. 그런데도 연락을 못하는 이유는 선우진의 시간을 건들고 싶지 않았기 때문이다.

선우진을 바래다주고 와서 잠을 다시 청하려 했으나 잠은 오지 않았다. 아무런 생각이 들지도 않았다. 그저 평상에 누워 서늘함을 느꼈다. 5월이다. 봄이 한창이라는 뜻이다. 꽃가루는 여기저기 날리며 모든 것을 노랗게 만들었다. 서울에서의 봄은 그다지 좋아하지 않았다. 노랗게 변한 창문을 보면 기분이 좋지 않았고, 꽃구경을 가자는 친구들과 애인의 말에 여기저기 끌려다니기 일쑤였다. 매년 피는 꽃을 왜 기념하는 것인지 이해하지 못했다.

근데 선우진을 만나고 나선 생각이 조금 달라졌다. 3월을 막 들어왔을 때부터 선우진과 함께 볼 꽃들이 기대되었다. 선우진은 꽃을 좋아하는 걸까. 선우진은 꽃을 볼 때가 가장 편안해 보였다. 다른 사람이 보면 아무런 생각 없이 꽃을 쳐다보고 있다고 생각할 수도 있지만, 나는 알 수 있었다. 꽃을 볼 때면 반짝거리는 눈을 말이다.

그래서 선우진에게 예쁜 꽃들을 많이 보여주고 싶었다. 옥상에서 꽃을 키우기도 했다. 꽃이 환하게 피어있는 곳을 찾으면 꼭 같이 가고 싶었다. 그냥 내 마음이 그랬다.

그러다 문득 그런 생각이 들었다. 나와 선우진은 어떤 관계인 거지. 우정인가. 이걸 우정이라고 할 수 있을까. 아니면 선우진과 내가 하고 있는 것이 사랑일까. 그렇다면 사랑은 무엇인가. 우정과 사랑의 차이점이 무엇이지.

선우진을 보고 있지 않을 때면 자꾸만 생각난다. 무엇을 하고 있는지, 밥은 먹었는지. 어떤 걸 좋아하는지. 선우진이 행복했으면 좋겠다는 생각이 든다. 아, 사랑이 아니고 그냥 동정인가. 그렇다면 나는 선우진에게 동정을 해도 되는 인물인가.

선우진과 나의 미래를 그려보았다. 아무런 그림도 그려지지 않았다. 생각해보니 웃기다. 기한이 정해져 있는 관계라. 나는 여름이 되면 이곳을 떠나야 한다. 다시 서울로 돌아가 집을 알아봐야 할 테고, 학교도 복학해야 할 것이다. 그동안 보지 못했던 친구들을 만나 그동안의 이야기를 해주어야 할 테고, 본가에 가서 부모님도 봐야 할 테지. 그럼 선우진은? 내 인생에 그냥 스쳐 간 인물로 남는 건가. 나는 무슨 생각으로 살아가고 있는 것인가. 나는 왜 처음 선우진을 만났을 때, 웃게만 해주겠다고 다짐을 한 것인가.

선우진이 돌아오면 물어봐야겠다. 너에게 나는 어떤 존재인지. 너는 어떤 생각으로 살아가고 있는 것인지. 그리고 우리는 무슨 관계인지.

1

이어서 두 사람이 준비한 혼인서약서를 낭독하겠습니다.

둘의 목소리가 들려왔다. 그 애의 목소리가 선명히 전달되었다.

처음 만났을 때의 설렘을 기억합니다. 즐겁고 기쁜 날들을 함께
할 수 있어서 더없이 행복했습니다.

지금껏 그래왔듯이 어려운 순간이 찾아올지라도 함께 손잡고 지
혜롭게 헤쳐나가겠습니다. 지금 이 마음 그대로 당신과 영원히 함께
하겠습니다.

세상에서 가장 소중한 당신을 아내로 맞이합니다. 우는 날보다 웃
는 날이 많을 수 있도록, 좋은 것만 보고, 듣고, 느낄 수 있게 만들
어 주는 든든한 남편이 되겠습니다.

세상에서 가장 아름다운 당신을 남편으로 맞이합니다. 작은 아픔
에도 함께 눈물지어줄 수 있는, 그 여린 마음을 평생 감싸 안아주는
아내가 되겠습니다.

그 애의 말 하나하나가 모두 마음에 들어왔다. 저기 옆에 서 있
는 사람이 만약 나였다면 저런 말을 맹세할 수 있었을까. 우리가 정
말 평범하게 만났더라면 행복하게 웃으며 미래를 그려나갔을까.

118

우리의 사랑이 새로운 시작에 선 이 순간, 지금 이 마음 그대로 당신과 영원히 함께할 것을 참석하신 여러분 앞에서 맹세합니다.

말이 끝남과 동시에 큰 박수 소리가 장내를 메웠다. 눈물을 보이며 상대방을 쳐다보는 그들은 아름다웠다. 그들을 비추는 조명은 눈부셨고, 산들거리는 촛불은 사람의 마음을 일렁이기에 적합했다.

두 사람의 손가락에 반지가 끼워졌다. 서로에게 반지를 전해주는 그 모습이 참으로 영화 같았다. 고단 일을 많이 했던 그 애의 손은 항상 투박해 보였는데 반지가 끼워진 그 애의 손은 그 누구보다도 빛났다. 반지가 제 주인을 찾은 것처럼 자신의 색을 띄웠다.

이제 부부가 된 두 사람을 축복해주신 내빈 여러분께 감사의 인사를 올리겠습니다. 내빈 여러분께서는 큰 박수로 답례하여 주시면 감사하겠습니다.

신랑, 신부 내빈께 경례.

인사를 올리는 그 애의 모습은 당찼다. 옛날에 보았던 그 애의 모습이었다. 항상 당찼고, 자신감이 넘쳤다. 그 모습을 볼 때면 본받고 싶다는 생각이 들었고.

이제 오늘 하나 된 신랑, 신부가 행복에 가득 찬 신혼에 꿈을 안고 세상을 함께 첫걸음을 내딛겠습니다. 두 사람의 희망찬 출발을 위해 다시 한번 뜨거운 박수로 성원해 주시기 바랍니다.

신랑, 신부 행진.

손을 흔들며 당차게 걸어오는 그 애의 모습을 보며 눈에서 눈물이 흘렀다. 그 애의 얼굴에 행복이 가득해 보였기 때문이다. 누구보다도 행복해 보여서. 진짜 정말 다행이라는 생각이 들었다. 그 애와 두 눈이 마주쳤다. 눈을 피할 수 없었다. 두 눈에서는 눈물이 났지만, 그 눈은 피할 수 없었다. 그 애의 눈동자는 흔들리는 것 같았다. 그리고 이내.

웃음을 지었다. 가장 행복해 보이는 얼굴로 나를 보며 웃었다. 이제야 가슴에 막혀있던 검은 덩어리가 내려갔다. 그리고 그 애를 향해 손을 흔들었다.

그 애가 나를 결혼식에 초대한 이유를 이제야 깨달았다. 자신의 가장 아름다울 순간을. 제 인생 중 가장 아름답고, 행복할 순간에 나를 초대하고 싶었던 거구나. 그 행복에 나도 있었구나. 너는 다 알고 있었구나. 우리가 마지막까지 함께할 수 없다는 것을. 그래서 나를 찾았구나. 우리의 마지막을 아름답게 마무리 짓고 싶어서. 이곳에 초대받을 수 있었다는 것이 참으로 감사하다. 너의 가장 아름다운 모습을 볼 수 있었음에 감사하다.

너를 응원한다. 너의 과거도, 너의 현재도, 너의 미래도. 난 너를 향해 응원을 보낼 것이다. 너에게 마지막 인사를 보낸다. 너를 만나서 보내는 안녕이 아닌, 이제 정말 마지막으로 헤어짐을 보내는 안녕이다. 그리고 너의 삶이 아무 탈 없이 편안하기를 비는 안녕이다. 너와 했던 것이 사랑임을 깨달았다. 너로 인해 사랑을 깨달았으니, 너도 너의 사람에게 무한한 사랑을 받으며 살아가기를. 내가 너에게 준 사랑이 네가 받은, 그리고 받을 사랑 중에 가장 작은 것이길.

이젠 정말 안녕.

비 오는 날이면 항상 눈물이 났던 이유도,

그 사거리 카페를 보면 발길을 떼지 못했던 이유도.

여름이 시작되는 초여름만 되면 항상 열병이 걸렸던 이유도.

너처럼 활짝 피어있는 꽃을 보면 눈길을 못 뗐던 이유도.

가만히 있다가도 꽉 막힌 느낌 때문에 가슴을 쳐댔던 이유도.

그 모든 이유가. 내가 널 사랑했기 때문이었다.

나도 모르게 널 사랑하고 있었기 때문이었다.

1

식이 완전히 끝나기 전에 건물에서 나왔다. 시계를 확인하니 3시가 넘어가고 있었다. 종일 먹은 거라곤 유자차밖에 없으니 배에서는 꼬르륵 소리가 나기 시작한 지 오래. 길을 걷다 보니 보이는 버스정류장에서 걸음을 멈추었다. 한참을 앉아 있다가 낯이 익은 번호를 보았고 아무런 생각 없이 버스에 몸을 실었다. 버스 안에는 서너 명의 사람들이 타 있었고 기사님은 나를 향해 인사를 하였다. 가벼운 인사와 함께 지폐를 집어넣었다. 쨍그랑하는 소리가 나며 동전들이 나왔다. 동전을 집었다.

햇살이 들어오는 창문 옆의 자리에 엉덩이를 붙였다. 한 것이라곤 결혼식을 갔다 온 거밖에 없는데 온몸이 피로에 가득 차 버렸다. 두 눈이 무거웠다. 햇살이 따뜻이 몸을 내리쬐고 덜컹거리는 버스. 창밖에는 꽃들이 무성하게 피어있고 나른한 오후를 만끽하고 있는 사람들로 메워졌다. 이내 두 눈이 감겼다. 잠이라기보다는 두 눈에게 휴식을 주는 것이라 생각했다.

어느새 꽤 오랜 시간이 지나간 것 같다. 눈을 떠보니 해는 조금 더 뉘어있었다. 하차 벨을 눌렀다. 감사하다는 말과 함께 버스에서 내렸다. 번호가 낯이 익은 이유가 있었다. 몇 년 전, 서울에 있는 집을 내놓고 짐을 싸곤 아무런 정신도 없이 그 이름도 모르는 섬을 가기 전에 탔던 버스였다. 그 버스 안에서 무슨 정신으로 있었는지 기억도 나지 않는다.

그냥 좀 이젠 숨 쉬고 살고 싶다는 생각을 했던 것 같다. 더 이상 눈물도 나오지 않아 텅 빈 눈을 하고 걸어가는 내가 스쳐 지나간다. 과연 과거의 나에게 지금까지 나에게 있었던 일들에 관해 이야기해준다면 어떤 반응이려나. 미쳤다고 할 수도 있다. 아니, 어쩌면 거짓말하지 말라며 이상한 눈으로 쳐다볼 가능성이 더 크다.

눈앞에 바로 보이는 국밥집으로 발길을 돌렸다. 조그마한 가게였는데 할머니께서 하는 가게인 듯했다. 콩나물 국밥을 주문함과 동시에 거의 바로 반찬들과 국밥이 나왔다. 배가 고팠던 지라 허겁지겁 밥을 욱여넣기 시작했다. 그런 나를 바라보던 할머니께서는 나에게 말을 걸어오셨다.

그러다가 체할라, 아가. 천천히 드셔.
아, 제가 오늘 한 끼도 못 먹어서 배가 고팠나 봐요.

할머니는 한 끼도 먹지 못했다는 나를 보시곤 놀라시면서 이것, 저것 더 꺼내오셨다. 손을 내저으며 괜찮다고 사양했으나 많이 먹으라며 웃어주시기 바쁘셨다.

저 꽃은 누구한테 받은 거래요?
카페 사장님이요.

애인이에요?

아뇨, 아뇨. 오늘 처음 본 분이세요. 선물이라고 주셨어요.

꽃이 참 곱네. 손님처럼.

감사합니다….

나도 옛날에 꽃을 참 좋아했어요. 꽃말도 찾아보고.

왜 꽃이 좋으셨어요?

예쁘잖아. 아름답고. 그리고 꽃말이 다양하니까. 누군가에게 선물해줄 때면 기분이 좋아지곤 하지.

무슨 꽃이 제일 좋으세요?

젊었을 땐 그냥 꽃이면 다 좋아했지. 근데 요즘엔 비단향나무꽃이 좋더라고요.

비단향나무꽃이요? 처음 들어보는 꽃이네요.

나도 얼마 전에 들었어. 딸이 외국에 있는데 그림으로 그려서 보내준 덕분에 말이여.

아, 왜 그 꽃이 제일 좋으세요?

꽃말이 예뻐서. 비단향나무꽃말이 영원한 아름다움이래요.

영원한 아름다움….

어떤 역경이라도 극복하는 강인한 사람을 말하는 거래요. 그래서 좋아. 내가 정말 강인한 사람이 된 기분이라서.

강인한 사람….

따뜻한 국밥 한 그릇에 내어주신 반찬들까지 다 비워내고서야 뻐근했던 눈동자가 풀리는 느낌을 받았다. 휴지 두 장을 뽑아 입가를 닦아내곤 자리에서 일어났다. 할머니께 정말 잘 먹었다며 연신 감사함을 표하니 웃으며 다음에 또 오라며 어깨를 두드려 주셨다. 계산까지 끝내고 나서 문을 열기 위해 발길을 돌렸다.

어머, 아가. 이거 두고 갔어요.

할머니의 목소리를 들곤 고개를 돌렸더니 아까 카페 사장님께 받은 꽃이 할머니의 손에 들려 있었다.

아, 정신없이 밥을 먹어서 까먹고 있었네요. 감사합니다.
어여, 그래. 여기.

꽃을 받아든 나는 꽃다발을 한 번 둘러보았다.

목련이네. 참 아름다워.
그러게요. 진짜 깨끗하네요.
꽃말이 고귀함이지?

'고귀함이라는 꽃말을 가지고 있는 목련이에요. 부디 오늘만큼은 좋은 일만 있기를 빌게요.' 카페 사장님께서 해주셨던 말이 스쳐 지나갔다. 고개를 끄덕이며 그 말을 곱씹었다.

목련 꽃말에 다른 뜻도 있는 거 알아요?

아뇨….

나중에 한 번 찾아봐요. 꽃말은 정말 많으니까.

네….

그 꽃 선물하는 건 어때요? 주변에 선물해주고 싶은 사람한테.

선물이요?

응. 오늘 꽃 받았을 때의 그 행복함을 다른 사람에게도 전달해줘요. 꽃 선물만큼 좋은 건 없으니까.

무언가 결심한 목소리로 당차게 대답하며 고개를 끄덕이니 할머니께선 화사한 미소를 보이셨다. 그 미소는 버스 안에서 나를 내리쬐던 햇빛 같았다.

누구한테 줄 거예요?

…

음?

좋아하는 사람이요. 꼭 주고 싶은 사람이 있어요.

0

잠깐 눈을 붙인다는 게 너무 푹 자버렸다. 시계를 확인하곤 허겁지겁 옷을 껴입곤 밖으로 향했다. 해가 지고 까만 밤이 지배했다. 슬리퍼를 질질 끌며 해구로 향했다. 바다엔 달빛으로 인한 윤슬이 자글자글 빛을 뿜어냈다. 이 섬은 밤이 되면 자신의 색을 더욱 뿜어내는 듯하다.

종일 선우진에게서 어떠한 연락도 받지 못했다. 화가 나진 않았다. 그냥…. 진짜 아주 조금의 섭섭함이라고 생각한다. 이 섬으로 들어오는 마지막 배가 9시이니 만약 저녁 배를 타고 온다면 지금 들어오는 중일 것이고, 그게 아니라면 내일 아침에 다시 오면 된다.

저 멀리서 조그마한 빛이 보인다. 아마 저 배일 것이다. 하루 동안 못 봤다고 이렇게나 보고 싶을 수 있나. 심심해서 죽을 뻔했다. 선우진을 만나면 왜 연락 안 했냐며 시끄럽게 할 생각에 벌써부터 신이 났다.

점점 빛이 커지더니 이내 배가 저의 모습을 보이기 시작했다. 배가 큰 배기음 소리와 함께 선착했다. 배 안에서는 섬의 주민 몇 분과 어부 아저씨들이 내렸다. 그 사이에 선우진도 있었다. 선우진은 내가 보이지 않았는지 배에서 내려 폰을 확인했다. 그런 선우진 뒤로 조심히 다가가 놀래키니 그제야 저를 보며 이상한 눈으로 쳐다보기 시작했다.

너 왜 배 탔으면서 연락 안 했냐.

내가 애도 아니고 안 할 수도 있지. 나 이래 봬도 성인이야.

너 없어서 심심했어. 할 것도 없고.

그 시간에 공부를 했어야지. 바보야.

그래, 선우진의 이 투정이 듣고 싶었다. 분명 선우진을 만나기 전
까진 오늘은 꼭 우리가 무슨 사이인지, 선우진에게 나는 어떤 존재
인지 물어보고 말 것이라는 생각을 했었지만, 막상 선우진의 목소리
를 들으니 아무런 생각도 들지 않았다.

자, 이거 가져. 하는 소리와 함께 오른손에 들고 있던 하얀 꽃 한
송이를 가슴팍에 쳤다. 이게 뭐냐고 웃어댔다. 두 볼이 빨개진 선우
진은 자신이 주는 선물이라며 고이 잘 간직하라고 으름장을 내놓았
다.

선우진과 내가 무슨 관계인지 무엇이 중요한가. 난 지금 삶이 즐
겁다. 선우진과 장난을 치고, 선우진과 밥을 먹고, 선우진과 이야기
를 나누고. 선우진의 고민을 들어줄 수 있는 이런 삶이 좋다,

우리의 관계가 어떤 관계인지 묻는 건. 나중에. 일단은 지금을 즐
기고. 좀 많이 나중에. 그때 물어볼래.

1

그 일이 있고 나서 벌써 2주라는 시간이 지났다. 모든 게 일상으로 돌아왔다. 이젠 더는 암흑 속이 무섭지 않고, 무언가 꽉 막힌 듯한 느낌도 들지 않았다.

지잉-. 폰에서 진동이 울려댔다. 정한이었다. 전화 수락 버튼을 누르곤 스피커를 켰다. 작은 방안엔 정한의 목소리로 가득 찼다.

선우진, 뭐하냐.

나 그냥 누워있는데, 왜.

그냥, 친구가 좀 궁금해할 수도 있지.

오늘은 또 무슨 일이신가요.

나 오늘은 너 못 만날 것 같다.

갑자기? 우리가 뭐 매일 만난 사이냐.

거의 매일 만났지.

어, 그래.

…

왜? 너 어디가?

응.

어디?

서울에 잠깐.

잊고 있던 사실이다. 정한은 돌아가야 한다는 것을. 그 시간이 다 가오고 있다는 사실을. 나와는 다른 사람이었다, 정한은.

아….
아마 내일 아침에 도착할 것 같아.
그래….
…
서울은 갑자기 왜?
일이 생겨서.
그래, 잘 갔다 와.
응. 미안해.
나한테 뭐가 미안해. 너 일하러 가는 건데.
그냥…. 혼자 둬서 미안.
내 신경은 쓰지 말고 간 김에 좋은 거 많이 보고, 하고 와.
응, 연락할게.
연락….
…
하지 마.
응?
연락, 하지 말라고.
…

잘 갔다 와.

응.

전화 들어온다 끊자.

아, 응. 밥 챙겨 먹어.

응, 너도.

뚝-. 전화가 끊겼다.

지금 내 기분은 화가 아니다. 그냥 투정일 뿐이다. 이 섬에 자기 말곤 친구가 없다는 것을 누구보다도 잘 아는 사람인데. 서울에 가는 것이 짜증 나는 것이 아니다. 그냥, 그냥.

모르겠다. 분명 짜증이 날 일이 아닌데도 불구하고 기분이 영 좋지가 않다. 오늘 하루는 참으로 길 것 같다.

1

정한. 걔 하나 없다고 인생이 지루했다. 밥을 먹을 때도 나를 건드리는 사람도 없고 식곤증 때문에 두 눈이 무거울 때, 나를 깨워주는 사람도 없었다. 정한도 내가 없었을 때, 이렇게 심심해했을까. 진짜 모르겠다. 정한은 왜 서울에 갔을까. 내가 물어봐도 되는 일일까.

침대에서 일어나 거실로 향했다. LP 플레이어 위에 있는 뽀얀 먼지를 휴지로 닦아냈다. 뚜껑을 열어 LP를 재생시켰다. 잔잔한 재즈 음악이 나를 감싸 안았다.

재즈 음악은 가만히 듣고 있기 좋은 노래라고 생각한다. 차마 영어를 알아들을 수는 없지만, 그냥 좋다. 무언가에 잠식한 기분이기도 하지. 이 섬에 왔을 때, 나의 빈 옆자리를 채워주던 것이라 말할 수 있다. 가만히 생각한다. 나의 미래와 나의 삶에 대하여.

과연 나는 어떻게 살기를 원하는가.

돈을 혐오했다. 가난은 필연이었고 행복은 우연이었다. 나에게 인연은 없었고 나는 그런 운명을 소망하지 않았다. 그냥 그런 생각을 한다. 이 모든 것이 12살의 내가 피아노 학원을 갔다가 집에 들어온 늦은 오후, 엄마의 무릎을 베곤 꾸었던 꿈이었으면. 그 샛별 같던 어린 선우진의 한낱 여름밤의 환상이었으면 하고 말이다.

만약 그날 사고가 나지 않았더라면, 만약 그 여행을 가지 않았더라면, 만약 그 사고에서 부모님도 같이 살았더라면.

그냥 그 사고에서 나도 죽어버렸다면 좋았을 것이라는 생각을 수없이 했다. 신을 원망했다. 그리고 신에게 빌었다. 나를 죽여달라고. 하지만 신은 나의 말을 들어주지 않았다.

그래서 지금이 너무 두렵다. 언젠가 사라질 행복이 너무나 무섭다. 이토록 기쁠 수 있다는 사실에 겁이 난다. 나에게 왜 이런 인연을 주었는지, 나는 어떻게 살아야 하는지. 도통 알 수 있는 것이 없다. 정한은 알까. 내가 살아있는 이유와 신이 우리를 만나게 한 이유에 대해.

그러다 문득 정한의 생각에 익사했다. 나는 내일 정한이 오기 전까지 어떠한 연락도 하지 못할 것이다. 아니, 정한이 돌아오지 않을 수도 있다. 그렇다면 나는 정한에게 연락을 할 수 있을까.

진짜 아무것도 모르겠다.

어쩌면

정말 어쩌면…. 정한이 나를 버리고 떠날 수도 있다는 생각이 들었다.

저녁은 먹지 않았다. 어떠한 것도 먹고 싶지 않았다. 사과를 하나 씻어 평상 위에 앉았다. 해가 길어졌다. 그 뜻은 곧 봄이 지나고 여름이 찾아올 것이라는 말이다. 아직은 저녁 바람이 차가운 것을 보면 봄이 조금 더 있다가 떠날 것이다.

사과를 한입 크게 베어 물었다. 평상 위에 혼자 앉아 있는 것은 참으로 오랜만이다. 정한이 이 섬에 오기 전까진 항상 혼자였는데. 그 잠깐 좀 같이 있었다고 혼자 있는 것이 참으로 어색했다. 사람은 적응의 동물이랬다. 나도 어쩔 수 없는 짐승이라는 것이지.

오늘 하루 정한에게선 어떠한 연락도 받지 못했다. 정한은 그랬다. 내가 하고 싶다고 하면 무조건 해주는 사람이었고, 내가 싫다는 행동은 전혀 하지 않았다. 오늘 아침, 연락하지 말라는 내 말을 듣고서 하지 않는 것이라 생각한다. 아니, 어쩌면 정말 하지 않고 싶을 수도 있다. 개의치 않게 생각하고 싶었으나. 정한에게는 그게 참 안됐다. 신경 쓰지 않기, 의식하지 않기.

혼자인 밤이 될 것이라 생각하니 왠지 가슴이 아팠다. 나만 외로운 거 같아서. 나만 그리운 거 같아서.

정한은 내일 첫배를 타고서 섬으로 들어오려나. 첫배가 아마 7시였지.

정한은 분명 섬에 들어올 것이다. 그래야만 한다. 집으로 돌아가는 길이 너무나 어두워 보였다. 옥탑방 문을 열고 안으로 들어갔다.

들어올 때마다 드는 생각이지만 이 공간은 참으로 정한을 닮았다. 깔끔하게 정리되어 있고 남을 배려하는 마음이 온전히 이 공간에 담겨있다. 침대에 누워 천장을 바라보았다. 그리고 고개를 돌려 안을 둘러보았다. 정한의 옷가지들이 걸려있고 숟가락, 컵, 그릇, 로션, 공책, 노트북….

정한의 것은 모두 이곳에 남겨져 있다. 다만, 이곳에 정한은 없다. 그의 부속품들만이 남겨져 있다.

오늘은 조금 일찍 눈을 붙여야겠다. 더 이상 아무런 생각이 들지 않게.

1

　정한의 가디건 하나를 껴입곤 해구에 앉아 있다. 갑작스레 떠진 눈에 시간을 확인해보니 6시 반이었다. 무의식 속에서 누군가 나를 깨워준 것이라 생각이 들었다. 가디건에서는 익숙한 향기가 났다. 향수 냄새는 아니고 집 냄새 같은 향이었다. 익숙해졌다는 말이 참으로 우습다.

　곧 배가 들어오고 사람들이 내렸다. 며칠 전, 딸을 보러 가신다고 하셨던 큰 마당집 할머니와 할아버지. 아마 또 요상한 과자들을 사오신 게 분명한 뒷집 아주머니도 보였다. 하지만 그 사이에서 정한은 보이지 않았다. 정한의 머리카락 한 자락도 볼 수 없었다. 몇 없던 사람들이 내리곤 배에선 배기음 소리가 들려왔다. 믿기지가 않아 자리에서 일어나 주변을 서성였다. 하지만 아무도 보이지 않았다. 폰을 들어 알람을 확인했다. 어떠한 연락도 없었다. 몇 없는 연락처에 들어가 정한에게 전화를 걸었다.

　전원이 꺼져있다는 말만이 돌아왔다. 황급히 전화를 끊었다. 그리고 깨달았다. 정한이 내 연락을 보지 않는다면 난 정한을 찾을 방법이 없다는 것을 말이다. 왜 몰랐을까. 정한에게 나는 버리기 딱 좋은 사람이라는 것을. 번호만 바꾸고, 기억에서 지워버린다면 나는 정한의 인생에 존재하지 않는 사람이라는 것을 왜 깨닫지 못한 것인가.

다리에 힘이 풀렸다. 이내 웃음이 터졌다. 믿고 싶지 않았다. 말도 안 됐다. 옥탑방으로 돌아가는 길을 걷는 내내, 입꼬리가 내려오지 않았다. 정신 나간 사람처럼 웃어댔다.

아, 정말 쉬운 사람이구나. 나는. 정한이 돌아오면 너에게 나는 어떤 사람인지 물어보고 싶었다. 우린 어떤 관계인지 물어보고 싶었다. 그래야 내가 어디까지 정한에게 할 수 있는지 알 수 있으니까 말이다.

근데 이젠 다 소용이 없다. 돌아오지 않으면 그만이었다. 옥탑방 안에 남겨진 물건들을 본다. 모두 쓸모없는 것들이다. 다시 사버리면 그만인 것들이지. 나마저도. 다른 사람으로 대체해 버리면 끝나는 것이다.

옥탑방에서 나는 사람의 냄새가 역겨웠는데 이 냄새마저 없어져 버린다면 정말 믿고 싶지 않은 일이 일어날 것만 같아서. 방문을 굳게 닫았다. 어떠한 것도 빠져나가지 못하게. 그리고 기도했다.

눈을 떴을 땐, 나를 바라보고 있는 정한을 마주했다. 무언가 말을 하려 입을 벌리는 정한을 보곤 손을 올려 볼을 만졌다. 따뜻했다. 분명 진짜였다. 이내 두 눈에서 고여있던 눈물이 흘렀다. 더 이상 웃음이 나지 않았다. 그리고 안도했다. 그 안도감이 뭐길래 나를 이 정도로 비참하게 만드는 것인지.

너…. 분명 첫배 타고 온다며.

늦잠 자서 놓쳐버렸어.

나…. 너 기다렸는데….

미안.

너 이제 안 오는 줄 알고….

…

정말 다시는 못 보는 줄 알고….

내가 왜 안 와.

와야 하는 이유가 없으니까.

있어.

…

네가 나 기다리는 거 아는데.

…

미안. 기다리게 해서.

…

…

야.

응.

정한아, 우리.

응.

아니다. 쉬어, 나도 이제 집에 갈래.

좀 있다가 가도 되는데.

아니야. 나도 이제 가야지.

…

신세 좀 졌다.

옥탑방 문을 여니 눈물로 엉망이 된 얼굴이 차가워졌다. 옷 소매를 끌어 얼굴을 닦아댔다. *저녁은 같이 먹자. 좀 쉬고 있어. 내가 올게.* 주머니에 손을 넣곤 계단을 내려갔다.

정한은 돌아왔다. 분명 돌아왔는데. 뭐가 이렇게 나를 불안하게 만드는 것인가. 집으로 돌아오며 생각했다. 정말 만약 정한이 없어진다면 아니, 다시 돌아간다면 나는 어떤 삶을 살아야 할까. 나의 삶의 원동력은 무엇인가.

벌써 6월이다. 조금 있으면 여름이 찾아온다. 또다시 여름이 찾아온다. 이제 정말 나라는 사람을 찾을 시간이 다가오고 있다.

1

우연이었다. 나는 저녁을 같이 먹자는 말을 지키기 위해 정한의 건물 계단을 오르고 있었고. 정한은 평상에 앉아 누군가와 통화를 하고 있었다. 그냥 그런 평범한 순간이었는데.

-너 이번 학기는 돌아올 거지?

아마도. 근데 모르겠어.

-너 이번에도 안 들어오면 진짜 안 돼. 졸업 안 할 거야? 지금부터 학점 채워야지.

하…. 나도 진짜 모르겠다.

-너 걔 때문이지. 그 섬에서 만났다는 애.

그만 말하자. 나 진짜 머리 아파.

-너도 이제 네 인생 살아야지. 1년이면 충분히 도망쳤잖아.

알았다니까.

돌아가야 하는 곳이 있는 사람이란 걸. 나는 이곳에 있어야 하는 사람이지만, 정한은 그것이 아니라는 걸. 분명 알고 있었다. 그래서 더 필사적으로 모른 척했다.

나는, 정한에게. 도움이 되지 않는다. 그저 잠시 쉬어가는 길일

뿐이다. 그저, 그저.

밥을 먹는 내내, 나는 정한의 얼굴을 보지 못했다. 눈물이 날 것
같은 것보다 화를 낼 것만 같아서. 꾹 참았다. 한 끼도 못 먹었다는
정한의 말에 반찬을 좀 더 밀어주기만 했다. 밥을 다 먹고 나선 그
냥 하늘만 바라봤다. 오늘이 마지막이라는 생각을 하면서.

야.
응.
우리 그냥 딱 이정도만 하자.
그게 무슨 소리야?
그냥, 이런 생활 이제 그만해.
아니, 뭘 그만하라는 건데.
너 곧 돌아가야 하잖아.
근데.
이제 조금씩 잊어가야지, 너도.
그게 무슨.
넌 이제 돌아가서 네 삶 살아야지. 계속 나만 보면 어떡하냐.
야.

야. 라는 소리가 퍽 아파서, 한 번도 들어보지 못한 목소리라서.
그래서 지금 내 눈에 눈물이 고이는 거다. 어떠한 이유가 있는 게

아니고. 그냥 단지 그 이유뿐이다.

선우진. 다시 말해봐.

정한의 얼굴엔 분노가 차오르는 것 같았다. 왜지. 분명 화를 내야
하는 건 나인 것 같은데. 뭐가 그렇게 화가 나는 걸까. 내가 먼저
그만하자고 해서? 나 같은 사람한테 그딴 말을 들은 게 화가 난 것
일까.

그만하라고. 도망치는 거, 누구 동정하는 거.

선우진, 말 함부로 하지 마.

틀린 말, 한 거 없잖아. 넌 이제 네 인생 살면 돼. 그냥 그렇게
살면 된다고. 아무 일도 없었던 것처럼 다시 돌아가서 인생 살라고.

야, 선우진.

왜.

넌 내가 널 동정한다고 생각하냐?

그게 아니면 뭔데.

하….

…

나 진짜 예전부터 묻고 싶었는데. 우린 무슨 사이냐?

…

넌 도대체 나를….

정한의 눈이 붉어졌다. 나의 예상에서 벗어난 일이었다.

나를 뭐라고 생각하는 거냐고···.

···친구지.

친구 사이가 이렇게 막···.

정한아.

···

나도 진짜 모르겠어. 내가 너한테 어떤 사람인지. 진짜 하나도 모르겠어. 너만 생각하면 머리가 복잡해, 요즘.

···

그냥 네 기억에서 날 없애주라. 그냥···. 제발 날 잊어줘. 그냥 넌 행복하게 살아달라고.

내가 널 잊으면.

···

넌. 넌 어떡하는데.

난···.

···

난 괜찮을 거야. 그래야만 해.

···

우리 사이엔 그 어떤 일도 없었던 거야.

···

그냥 지나간 인연인 거야.

그렇게 생각하면 내가 행복해질 수 있을까?

너 인생에 난 어떠한 도움도 되지 않아.

그럼 우리가 지금까지 한 건 뭔데. 넌 우리가 뭐라고 생각했는데.

…

…

나도 모르겠어. 그러니까 우리 이제 그만하자. 딱 이 정도가 적당해 우리한텐.

…

넌 다 괜찮을 거야. 조금만 힘들 거야. 조금씩 잊어가면 돼. 나랑 했던 일들을 다른 사람이랑 하고, 나랑 있었던 일들을 다른 사람으로 덮어가면 돼.

넌…. 우리가 없어져도 괜찮아?

난 너만 괜찮아진다면 다 괜찮아.

넌 도대체 나한테 왜 이래.

…

나 이만 갈게. 고마웠어. 잘 있어. 찾아오지 마. 잡지도 마. 그냥 잘 살아.

선우진, 마지막으로 하나만 묻자.

응.

정말 우리 아무 사이도 아니란 거지.

응, 아무런 사이도….

끝맺음은 하지 못했다. 목이 막혀 나오지 않았다.

0

몇 번이고 집 앞에 찾아가 봤으나 선우진의 얼굴을 볼 순 없었
다. 아주머니께 물어봤을 땐, 자고 있다거나, 만나지 않겠다고 했다
는 말만 돌아올 뿐이었다. 싸웠냐는 아주머니의 물음에 그저 미소만
지을 수밖에 없었다. 전화는 계속 꺼져있었다.

선우진이 어떤 생각을 하고 있는지 도통 알 수가 없다. 갑자기
우리의 관계를 끊어버린 이유가 뭔지도 모르겠다. 선우진은 나를 위
해 자신을 희생시킨다. 나는 선우진을 위해 나를 희생시켰다.

그렇다면 선우진 말처럼 난 선우진을 동정한 것일까. 어쩌면. 정
말 어쩌면 연민이었을 지도 모른다는 생각이 들었다. 서울에 갔다가
이 섬으로 돌아오는 길에 온통 선우진의 생각만이 나를 집어삼켰다.
선우진이 없는 나의 일상이 돌아오는 것이 두려웠다. 알고 있다. 이
렇게 계속 도망친다고 해서 시간은 날 기다려주지만은 않는다는 것
을. 옥탑방으로 올라오는 계단이 왜인지 좀 낯설어졌을 때, 토악질
이 나올 것만 같았다. 그리고 옥탑방 문고리를 잡았을 때, 서울과는
너무나 다른 환경이 답답했다.

그리고 방문을 열었을 때, 침대에 웅크리고 있는 한 인영을 보고
이상한 기시감이 들었다. 분명 안도감이었던 것 같다.

이내 그 인영에게 다가갔고 그 사람은 눈을 떴다. 그 눈동자는 세차게 흔들렸으며 눈물이 고였다. 깨달았다. 선우진이 불안해한다는 것을. 그리고 내가 그 불안을 잠재울 수 있는 사람이라는 것을.

하지만 나는 선우진에 대해 알 수 있는 것은 단 한 가지도 없다. 뭐라도 된 줄 알았던 것이다. 그렇다면 나는 선우진에게 화가 난 것일까. 아니면 미안한 것일까. 더는 선우진을 볼 수 없는 것이 분명하다. 믿고 싶지 않은 현실이다.

그리고 오늘도 빌어본다. 선우진과의 첫 만남으로 다시 돌아갈 수 있게 해달라고. 그렇게 된다면 우리의 운명을 다시 바꾸어 보겠다는 다짐을 하며.

0

우연이라도 선우진을 보는 날은 없었다.

오늘은 좀 늦잠을 잤다. 사실 일찍 일어나도, 늦게 일어나도. 나를 신경 쓰는 사람은 없지만 말이다. 선우진에게 화가 나지 않았다면 당연히 거짓말이다. 처음엔 너무 화가 나 미칠 지경이었다. 선우진이 괜찮아질 거라고 생각했다. 상대방을 위해 자신을 희생시키는 그런 선우진이 아니라, 저 자신 먼저 챙길 수 있는 선우진으로.

내 생각이 틀렸다고 생각하지는 않는다. 단지, 노선이 틀어진 거라고 생각한다.

선우진과 함께 먹던 밥도, 함께 있던 방도. 같이 가던 슈퍼도, 함께 걷던 바닷가도 지금은 모두 낯설게만 느껴졌다.

그리고 새삼 깨달았다. 선우진과 함께 했던 날들이 익숙해질 만큼 선우진은 내 일상이었다는 사실을.

0

새벽 첫배를 타고 서울로 향했다. 도저히 섬에 있는 것이 버거워 잠깐의 도망을 치는 것이다. 서울에 도착했을 때, 가장 먼저 향한 곳은 도서관이다. 내가 가장 좋아하는 곳이기도 하고, 내가 다니는 대학에서 가장 유명한 곳이기도 하다. 나의 어렸던 스무 살이 담겨 있는 곳.

아무 소설책이나 집어 들고 소파에 자리를 잡았다.

따분한 로맨스 판타지 이야기. 결핍이 있는 여자와 남자가 만나 그려내는 그런 뻔한 사랑 이야기. 지겹다. 그냥 다 똑같은 이야기뿐이다. 이 현실과는 너무나도 다른. 지극히 비현실적인 이야기.

그러다 문득 선우진과 나눴던 말이 생각났다.

붉어진 두 눈으로 나를 쳐다보며 똑바르게 말하는 선우진.

'여길 온 건 축복이에요. 다신 오지 않을 기적이요.'

'여길 와서 그쪽을 만난 것도 기적이라 생각해도 될까요.'

선우진은 왜 나를 만난 것이 기적이라 했을까. 기적이라 말하던 선우진은 왜 나를 떠난 것인가.

잃고 싶지 않다며 울부짖던 선우진의 말이 메아리처럼 울려 퍼졌다. 선우진의 기적….

머리를 털어내곤 자리에서 일어났다. 선우진과 그 일이 있고 나서 벌써 몇 주의 시간이 지났다. 시간은 우리를 기다려주지 않는다.

따분한 로맨스 판타지 소설책을 책꽂이에 꽂곤 도서관 밖으로 향했다.

그리고 아무나 만났다. 친구들도 부르고 처음 보는 사람들도 만나 놀았다. 아무런 생각도 하기 싫어서. 그래서 진짜 아무 생각도 들지 않았다. 그리고 오늘 처음으로 본 사람의 번호도 받았다. 연락을 기다리겠다는 말과 함께 웃어 보이던 그 사람의 얼굴이 생생했다.

그리고 오랜만에 본 친구들과 함께 술도 마셨다. 노래도 부르고 춤도 췄다. 즐거웠다. 아무런 걱정이 없는 사람처럼.

사실 다 거짓말이다.

아무런 생각이 들지 않았다는 것도 행복해서 즐거웠다는 것도. 다 그냥 내 원망으로부터 오는 바람이었다. 새로운 사람도 만나고 즐거운 일을 해보아도 선우진과의 일을 덮을 순 없었다.

선우진이 말한 것처럼. 선우진과 함께 했던 일들을 다른 사람과 하고, 우리의 추억을 다른 이와의 추억으로 덮어버리는 일.

새로운 만남을 가지고 새로운 감정을 느끼는 일. 더는 힘들다.

그날 밤, 마지막 배를 타고 섬으로 들어갔다. 배 안에서 오늘 처음 본 그 사람의 번호를 지웠다.

그리고 선우진의 번호도 지웠다.

내 추억이 계속해서 미화되길 바라며.

0

삶이 무료해질 때면 노래를 듣곤 한다. 정해진 노래는 없고 손이 이끄는 아무 노래나 듣곤 하지.

친한 아주머니의 부탁으로 이 섬에 유일하게 있는 초등학교로 향해 가고 있다. 아주머니껜 손자가 있는데 오늘 아침 급하게 서울에 가야 하는 일이 생겨 데리러 가지 못한다는 이유였다. 나는 흔쾌히 제가 데리고 있겠다며 조심해서 다녀오시라고 했다.

초등학교는 올 때면 항상 기분이 좋아진다. 알록달록한 건물과 넓은 운동장, 건물 벽면에 걸려있는 아이들의 그림을 보면 괜히 행복해진다. 왜 우리나라는 초등학교 건물만 알록달록한 것일까. 학생 때도 늘 마음속에 품고 있던 생각이다. 대학교는 그렇다 쳐도, 중학교, 고등학교도 알록달록하면 안 되나 싶기도 하지만 현실은 각박한 현실 세계뿐이지.

서울에선 초등학교 1학년 때부터도 학원을 여러 개 다니기 시작한다. 초등학생이 밤늦게 집으로 돌아온다는 말을 들었을 땐, 정말 세상이 망하는 것만 같았다.

하지만 이 섬에 있는 아이들은 자유롭다. 몇 명 없는 아이들이지만. 모여서 놀고 있는 모습을 보면 퍽이나 귀엽다. 학교가 끝나는 종소리가 울려 퍼지면 아이들이 다 같이 몰려나와 운동장이나 골목길을 뛰어다닌다. 골목길을 지나다니며 이웃 어른들에게 스스럼없이

다가가 말을 나누고 아양을 떠는 모습을 보면 때론 부럽기도 하다. 난 한 번도 상상해보지 못한 모습이었으니 말이다.

운동장에는 그네가 있다. 분명 내가 다닌 초등학교에는 그네 같은 건 없었던 것 같은데 여긴 있었다. 그네에 앉아 몸을 움직였다. 어린아이로 다시 돌아간다면 이 섬에서 살아보고 싶다는 생각을 감히 해보았다. 지금과는 조금 다른 삶이지 않을까. 성적에 연연하지 않고, 정말 내가 하고 싶은 것을 찾으며 살 수 있지 않을까. 뭐 그런 생각. 다 부질없는 생각이지만 말이다.

한이 형!
뛰지 마! 다친다.

자그마한 몸뚱어리로 쪼르르 달려오는 준이가 보인다. 뛰지 말라는 내 말에 속도는 늦추나 빠른 걸음으로 걸어오는 준이.

형! 할머니는?
아주머니 오늘 서울 가셨어. 아마 저녁에 오실 거야. 오늘은 형이랑 놀자.

좋다는 듯이 웃어 보이는 준이를 보니 미소가 입가를 떠나질 않았다. 준이가 메고 있던 가방을 한쪽 어깨로 메곤 작은 준이의 손을 잡았다.

놀이터에 가서 친구들과 놀고 싶다는 말에 놀이터로 향했다. 준이는 친구들에게 달려갔고 난 벤치에 엉덩이를 붙였다. 지치지도 않는지 한참을 뛰어다니며 돌아다녔다.

그리고 생각한다. 이제 서울로 돌아가야 할 시간이 얼마 남지 않았다. 코앞으로 다가온 현실에 두려워진다. 아무도 나를 탓하지 않는다. 아무도 나를 힘들게 하지 않고 부족한 것도 없다. 그것이 무섭다. 나에게 관심을 가져주는 사람도 없고 나를 탓하면서도 곁에 이어주는 사람도 없다.

서울로 돌아가면 가장 먼저 무엇을 해야 하지. 일단 월세방 계약이 먼저일 것이다. 방을 구하기 전까진 아마 친구 집에 신세를 지거나 찜질방을 가던가…. 돌아갈 곳이 있다는 건 축복이다.

사람들은 오해하고 있는 것이 있다. 내가 좋은 집안에서 태어나 바르게 자란 사람이라고. 그 사람들에게 아쉽지만, 전혀 그렇지 못한 사람이다. 돌아갈 집 한 칸조차 없는 사람이다. 현실은 두렵다. 도망은 숨통이다. 지극히 평범한 삶이 오히려 지옥같이 다가온다고 말하면 믿을 사람이 과연 몇이나 될까.

형! 한이 형!

나를 부르는 준이의 목소리에 잡생각들이 펑-하고 사라졌다.

형, 무슨 생각을 그렇게 해?

아, 아무 생각도 안 했어.

거짓말.

진짜야. 아무 생각도 안 했다니까.

눈을 게슴츠레 뜨곤 나를 노려보는 준이를 보곤 헛웃음이 나왔다. 하여간 진짜 못 말리는 애라니까. 아이스크림이 먹고 싶다는 준이의 손을 잡고 학교 앞 구멍가게에 갔다. 딸기 맛 쭈쭈바를 먹고 싶다는 준이에 딸기 맛 쭈쭈바 하나와 초코 맛 쭈쭈바를 하나 샀다. 자그마한 손으로 쭈쭈바를 쥐고 짧은 다리로 평상에 앉아 흔들거리는 모습이 영락없는 아이 같아서 흐뭇해지곤 했다.

하늘이 참으로 맑다. 곧 여름이 다가와서 그런가. 날씨가 무척이나 좋다. 서울에 있을 땐 여름이 정말 싫었다. 사람이 많아 끈적거리는 지하철 안은 지옥이나 다름없었고, 조금만 걸어 다녀도 땀이 나곤 했으니. 여름만 되면 밖이 나가기 싫어졌다. 하지만 이곳은 다르다. 뜨거운 매연가스를 내뿜는 자동차도 없고 숨이 턱 막히는 실외기도 없다. 햇살을 뜨겁지만 부는 바람은 시원하다. 땀을 흘리면서도 뛰어오는 아이들을 보면 행복해진다.

이곳은 그런 곳이다. 불편한 것은 많을지라도 행복한 시간도 덩달아 많은 곳. 외로운 집보다 밖으로 나가고 싶은 곳. 나의 청춘이 전혀 아깝지 않은 곳.

형. 사랑이란 뭘까.

라며 진지한 표정을 보인 준이였다. 한참을 쳐다보다가 그만 웃음이 터지고 말았다. 아직 태어나서 만나본 사람도 몇 없는 아이일 텐데. 배를 잡고 한참을 웃어댔더니 웃지 말라고 성질이다. 그 모습에 또 웃음이 터질 뻔했다.

준아. 너 좋아하는 사람 생겼어?
뭐래! 아니거든!

소리를 빽 지르면서도 두 볼을 빨갛게 올라오는 모습이 무척이나 귀여웠다. 저리 부끄러울까.

형도 잘 모르겠는데. 준이는 알아?
몰라, 나도 잘 모르겠어.
뭐야-.
근데 음-.
근데?
걱정되는 게 사랑 아닐까. 더 잘됐으면 하고, 행복했으면 하는 거 말이야.
진짜?
응. 나는 말이야. 준이 엄마, 아빠가 곁에 없어도 사랑해.
곁에 없는데도?
응. 왜냐하면, 엄마, 아빠는 나를 행복하게 해주려고 서울에 가

있는 거잖아. 돈 많이 벌어서 준이 행복하게 해주려고. 곁에 없어도 사랑은 할 수 있어. 난 엄마, 아빠가 행복했으면 좋겠어. 그래서 준이가 많이, 많이 사랑해줄 거야. 물론 엄마, 아빠가 너무 보고 싶고, 걱정되는데 이것도 사랑이라고 생각할래.

준아. 너 언제 이렇게 컸냐.

난 원래 어른스럽거든. 형보다!

꺄르르-. 웃으며 도망가는 준이를 붙잡곤 꼬옥 안았다. 웃으며 나를 마주 안은 작은 손길이 따스했다.

0

저녁을 먹곤 곯아떨어져 버린 준이를 조심히 안 곤 아주머니 집
으로 걸어갔다. 오늘 정말 고마웠다며 나중에 밥 먹으러 오라시는
아주머니께 많이 먹을 거니까 기대하시라는 맞장구를 치곤 집으로
돌아왔다.

다음 주부터는 장마가 시작될 것이라는 말을 들었다. 장마가 내리
기 시작하면 밖으로 나갈 일이 아마 줄어들겠지. 그리고 이 장마가
끝날 때쯤이면 나는 돌아가야 할 것이다. 서울 집 계약도 얼추 끝난
상태이고. 이제 현실로 돌아가는 시간인데 왜 이리 답답할까.

대학 졸업을 하면 난 뭐 하고 살지. 당장 하고 싶은 것도, 좋아하
는 것도 없는데.

장마가 오히려 고맙게 느껴진다. 방 안에 갇혀 아무것도 할 수
없으니까. 아무런 생각도 하지 않고 그냥 죽은 듯이 자고 싶다. 그
러다 문득 선우진의 생각에 잠기겠지. 그래도 괜찮다. 분명 행복한
기억일 테니까.

내일은 서울에 잠시 다녀와야겠다. 장마 기간에 읽을 만한 책을
몇 개 사서 와야겠다. 그러다 보면 장마는 끝나 있겠지. 그럼 난 현
실로 돌아가게 되겠지.

그렇다면 나는, 나는.

모르겠다.

그냥 선우진이 너무 보고 싶었다.

단지 그 생각뿐이었다. 다시 만나게 된다면 꼭 안아줘야지. 그리고….

….

그러고 나서, 난….

1

　장마인가. 어렴풋이 거실 TV에서 들려오는 일기예보에서 이번 주부터 장마라고 했던 것이 생각나는 것 같기도 하다. 창밖에는 비가 억수같이 퍼부었고 하늘에 햇빛은 전혀 보이지 않은 채 회색빛으로 물들어 있었다. 종말한 지구처럼 말이다.

　이 비가 끝이 나면 무더운 여름이 시작될 것이다. 작년 여름에는 무엇을 했던가. 물놀이가 하고 싶어졌다. 어렸을 적, 길거리에 붙어 있던 사진 속 아이처럼. 그곳이 어디였더라. 아, 지중해 바다라고 엄마가 말해주셨던 것 같다. 엄마의 꿈이라고 했다.

　엄마는 나중에 늙어서라도 돈을 많이 벌어 지중해 바다가 보이는 집으로 이사하는 것이 꿈이라고 했다. 복숭아나무가 자라고 에메랄드빛 바다가 펼쳐져 있는 그런 곳.

　바깥에 내리는 비를 보며 이대로 섬이 잠겨 죽어버리면 어떡하나 하는 생각에 사로잡혔다. 정말 이대로 모든 것이 끝나버리면. 이젠 좀 느리게 살고 싶다. 쫓기며 살아가는 그런 삶 말고. 내가 하고 싶은 거 하면서 돈도 그냥저냥 벌고. 숨 쉬면서.

　의자에서 일어나 창문으로 다가갔다. 비 내음이 코를 향해 찔러댔다. 창밖으로 손을 내밀었다. 투명한 빗물이 팔을 적셨다.

책꽂이에서 책 하나를 꺼내 들었다.

어린 왕자

책을 펼쳐 하나씩 눈에 담았다. 이 책을 몇 번 읽었는지 모르겠다. 계속 읽었다. 눈에 보이면 그냥 닥치는 대로 읽어댔다. 글 속에 나오는 어린 왕자가 마치 나처럼 느껴졌다. 생텍쥐페리는 이 책을 쓰며 무슨 생각을 했을까. 어떠한 계기로 이 책을 쓰게 되었을까. 이젠 눈 감고도 이 책을 써 내릴 수 있을 것만 같았다.

어린 왕자의 서툰 애정의 대상이었던 장미꽃은 어린 왕자와 이별을 하며 어떤 생각을 했을까. 그 둘은 관계를 맺은 것에 고통스러워했다. 그렇다면 그 둘은 서로를 만난 것에 후회할까. 장미꽃은 왜 어린 왕자를 떠나갈 때 사랑한다고 고백하였을까.

Si tu viens, par exemple, à quatre heures de l'après-midi, dès trois heures je commencerai d'être heureux.

-만약 오후 4시에 네가 온다면, 나는 3시부터 행복해지기 시작할 거야.

사랑한다는 것은 무엇일까. 사랑과 우정. 그 둘을 무엇으로 구분할 것인가. 구분 지을 수 있는 정확한 명제가 있는가. 있다면 나는 그 명제에 참이라 답해야 하나, 거짓이라 해야 하나.

161

Tu seras pour moi unique au monde. Je serai pour toi unique au monde.

-너는 나에게 이 세상에 단 하나뿐인 존재가 되는 거고, 나도 너에게 하나뿐인 존재가 되는 거야.

On risque de pleurer un peu si l'on s'est laissé apprivoiser.

-누군가에게 길들여진다는 것은 눈물을 흘릴 일이 생긴다는 것일지도 모른다.

줄곧 내가 외치고 있는 것은 무엇인가. 나를 왜 발악하는 것인가. 무엇을 위해 구원을 소망하고 있었나.

나는 사람이 싫다. 사랑도 싫다. 이 삶 자체를 혐오했다. 그 모든 것을 이겨낸 것. 나를 무에서 유로 돌려준 것.

내가 정말 원하고 있는 것이 그것일 지도 모른다. 아니, 그것일 것이라 확신한다. 하지만 나는 그것을 가질 수 없다. 가질 수 없음에 감사함을 느낀다. 다 부질없다. 생각했는데.

또다시 외친다. 나를 구원해주소서. 아니, 그를 구원해주소서. 내가 악마가 되더라도 좋으니 그에게 천국을 선사하소서.

내가 너를
얼마나 좋아하는지
너는 몰라도 된다

너를 좋아하는 마음은
오로지 나의 것이오,
나의 그리움은
나 혼자만의 것으로도
차고 넘치니까……

나는 이제
너 없이도 너를
좋아할 수 있다

-내가 너를 (나태주)

1

TV에서는 오늘부터 장마가 끝이 나고 하늘이 갠다는 아나운서의 말이 들려왔고 창문 밖에서는 억수 같은 비가 내리고 있었다. 겉옷을 꺼내입었다.

그리고 방문 밖으로 나왔다. 2층 주방 식탁에 있던 약통 안에 들어있는 마지막 영양제를 입에 털어 넣곤 *꿀꺽* 삼켜버렸다. 오래 살고 싶다는 생각이 들었다. 내 손에 있는 생명선을 볼펜으로 쭉 그어버리고 싶다는 생각에 잠식했다. 영원히 살고 싶다. 죽지 않는 삶. 천 년이고, 만 년이고 살고 싶다.

LP 플레이어에 마지막 LP를 재생시켰다. 고즈넉한 재즈 음악이 흘러나왔다. *끼익-* 거리며 판이 긁히는 소리가 좋았다.

여름이 끝나간다. 올여름은 너무나 더웠고 또 시렸다. 꼭 무언가로 인해 한쪽으로 기울여진 것만 같다. 낭만을 연습해야 한다니. 말도 안 되는 소리이다. 신고 있던 실내화를 물끄러미 보다가 이내 발을 꺼냈다. 굳은살이 여기저기 펴 사람 발 같지도 않다. 그런 발을, 발가락을 쓸었다. 더는 슬퍼하지 않을 거다.

TV 밑 서랍에서 처치함을 꺼냈다. 굳은살이 벗겨져 피가 나 굳어버린 자리에 연고를 발랐다. 그리고 그 위에 새로운 밴드를 붙였다.

신발장을 열어 투명색 우산을 꺼내 들었다.

그리곤 슬리퍼에 두 발을 넣었다. 다녀오겠습니다.

바깥에는 잔잔한 바람이 불어왔고 여전히 비는 억수 같이 내렸다. 찬찬히 골목길을 배회했다. 하나하나 눈에 담았다. 담벼락 밑으로 떨어지고 있는 능소화도. 비에 쫄딱 젖어 형태를 알아보기 힘든 신문지도. 그리고 누군가의 가방에 달려있던 인형도.

항구에 도착했을 때쯤. 비가 조금은 그친 것을 느꼈다. 바다는 왜인지 잠잠했다. 나를 제외한 모든 것이 멈춘 것 같은 느낌을 받았다. 아주 잠시만. 조금만.

항구 옆 숲속은 어느샌가 아이들의 놀이터가 되었다. 학교에서 마친 아이들은 다 같이 이 숲속에 들어가 잡기 놀이를 하곤 했다. 그 숲속을 들어갔다.

아이들이 위험하지 않도록 어른들이 깎아놓은 잔디들과 심어놓은 꽃들이 빗물로 인해 축축이 젖었다. 꽃잎이 떨어진 꽃들도 있었다. 비가 와서 더욱 파랗게 느껴졌다.

바다 쪽으로 걸어갔다. 흔들의자 근처로 가 바다를 보았다. 여기서 바다를 보았던 게 엊그제 같은데. 너무 많은 시간이 지났다.

흔들의자를 보았다. 그리고 웃음이 났다. 의자에 적힌 작은 글자가 너무나 너를 닮아있어서.

골목길을 걸었다. 걷고 또 걸었다. 그 길에 너를 담았다.
너를 향해 걸어가고 싶었다.
그리고 마침내 너에게 닿았다.

가까웠지만 너무나 멀었던 너에게.

0

너였다. 분명 너다. 내 두 눈을 의심했으나 결코 너라는 사람이다.

웬일인지 오늘따라 눈이 일찍 떠졌고 비가 오는 날이었지만, 꼭 밖으로 나가고 싶었다. 맨투맨 하나를 입곤 우산을 챙겨 밖으로 향했다. 이번 주가 끝나면 난 서울로 돌아가야 한다. 그리고 다시 현실을 살아야 한다.

골목길에 쭈그려 앉아 그저 하염없이 골목길 저 끝을 바라보았다. 네가 꼭 저기서 걸어올 것만 같아서. 우산을 쓰고 나를 향해 걸어와 줄 것만 같아서. 눈을 뗄 수가 없었다.

선우진. 너다. 내 두 눈앞에 있는 사람이. 다른 사람이 아닌 분명 너다. 내가 그토록 바라던 네가 내 앞에 서 있다. 선우진은 나를 보면 인사를 했다.

안녕.

분명 화가 나야 하는데. 나를 버리고 떠나가던 너를 보며 화를 내어야 맞는 건데. 그냥 웃음만 나더라.

선우진은 조용히 웃는 나를 보고 쭈그린 내 옆에 덩달아 쭈그려 앉아 나를 쳐다보았다.

비는 투둑투둑 떨어지고 우리의 옷깃은 조금씩 무늬가 생기기 시
작했다.

나 다음 주에 서울로 가.

응. 알아.

같이 못 가는 거지.

응.

진아.

응.

선우진.

응, 나 여기 있어.

가지 말라고, 너와 함께 있어 달라고, 사랑한다고 말해 달라고.
그 딱 한 마디면. 정말 그 한 마디면.

보고 싶었어.

…

많이 보고 싶었어.

…

그래서 보러 온 거야.

나도, 너무 보고 싶었어.

정한아.

응.

큰일이다. 울음이 터지고 말았다. 분명 이런 모습을 보여주고 싶지 않았는데. 지금은 아무런 생각도 들지 않는다. 이런 내 모습도 기억해주었으면. 그런 생각뿐이다.

나 하고 싶은 게 생겼어.

뭔데?

난 사람들에게 행복을 나눠줄 거야.

행복?

응. 그러니까. 너도 네가 하고 싶은 걸 찾아.

응.

꼭. 그리고 다시 만나자 우리.

응. 꼭.

한아.

응.

난 있잖아. 우리 사이를 원망했어.

응.

그래서 매일 밤 빌었어.

…

우리가 부디 다음 생에는.

…

평범한 가정의 남녀로 태어나서.

…

가족에게 풍부한 사랑을 받으며 살고.

…

그런 우리 둘이 만나서 평범한 사랑을 하게 해달라고.

…

근데 말이야.

응.

난 지금 우리도 마음에 들어.

…

다른 사람은 몰라도 우린 분명 서로 곁에 있을 거라고 믿어. 난.

난 모르겠어. 진짜 하나도 모르겠어. 난 진짜….

널 못 믿겠으면 나를 믿어.

…

넌 나 믿잖아.

응.

그러니까 우리 그때 다시 만나자.

…

…

우리가 만약에 다시 못 만나게 되면 어떡해.

...

난 너무 무서워. 그냥 이렇게 다 끝날까 봐.

선우진은 고개를 저었다. 그리곤 흐르는 내 눈물을 닦아주었다.

아니, 우린 반드시 만날 거야. 우린 꼭 다시 만날 거야.
...

난 고개를 세게 끄덕였다. 내 두 눈에서는 눈물이 흘러댔다. 그 눈물을 닦아내고 싶지도 않았다. 선우진은 나의 손을 끌었다. 그리곤 자신의 목에 나의 손을 갖다 댔다.

두근-. 두근-.

살아있다. 심장이 뛴다. 선우진은 어쩌면 사랑한다는 말이 아닌 살아있다는 말을 듣고 싶었을지도 모른다.

내 손을 잡고 있던 선우진의 손을 끌어 나의 목으로 갖다 대며 말했다.

우린 살아있어.
응.
살아있는 한 우린 또다시 만날 거야.

응.

다시 만나게 되면.

응.

그땐 서로를 꼭 안아주자.

응. 꼭.

선우진의 입에 입술을 맞추었다. 선우진의 심장 소리가 목 너머로 넘겨들어갔다. 어떠한 생각도 하고 싶지 않았다. 이 순간을 오래도록 간직하고 싶었다. 잊고 싶지 않았다. 선우진의 얼굴을 바라보았다. 마치 곧 없어질 것처럼 눈을 뗄 수가 없었다. 마침내 서로의 심장 소리가 같아졌을 때. 우린 비로소 피어났다.

1

새벽녘, 눈을 떴다. 내 옆엔 정한이 있었다. 너의 샴푸 향, 로션 향, 체향. 그 어떤 것도 잊을 수 없을 것이다. 아니, 잊으면 안 된다. 죽더라도 간직해야만 한다. 조심히 몸을 물러 자리에서 일어났다. 마지막일 너의 집안을 둘러보았다.

함께 밥을 먹던 책상, 같이 게임을 하던 침대, 가위바위보를 져서 투덜거리던 네가 그려지는 싱크대, 자주 아프던 나를 위한 약상자들. 함께 만들었던 토끼풀 반지, 서로를 부둥켜안고 울던 너의 집안.

벌써부터 그리웠다. 네가. 고이 잠든 너의 얼굴을 보다가 살며시 코를 만졌다. 그런 너를 보며 속으로 울었다.

외투를 입곤 밖을 나선다. 거짓말처럼 하늘은 개었고 깨끗했다.

집에서 나오며 들고나온 것은 조그마한 여행용 가방 하나뿐이었다. 서울 집에서 나왔을 때와 별 다를 바가 없어 보이지만, 안에 들어있는 것들은 분명히 달랐다.

아주머니께 그동안 신세 많이 졌다며 성공해서 꼭 돌아오겠다는 인사를 드렸다. 아주머니께선 정말 고마웠다며 저를 꼭 안아주셨다. 열심히 살라며, 응원한다며, 힘들 때면 다시 돌아와도 좋다는 아주머니의 말씀에 기어코 눈물이 터져버렸다. 돌아올 수 있는 곳이 있다는 것이 서글펐다,

아주머니께서도 울고, 나도 울고, 아침을 알리는 새들도 울었다.

그리고 다시 정한의 집. 바닥에 앉아 새근새근 자는 정한을 보다가 문득 그리움에 사로잡혔다. 무언가 과거의 장소나 시간에 존재했던 행복에 대한 감성적인 그리움과는 사뭇 달랐다. 불안전한 느낌, 우울하다고 해야 할 것만 같은 느낌.

정한의 얼굴을 눈에 담았다. 잊지 않도록. 계속해서 상기할 수 있게 많이. 되도록 자세히. 두 눈과 속눈썹, 짙은 눈썹, 높은 콧대 같은 것들.

정한의 집의 문을 닫곤 인사했다. 다시 만나자. 우리. 꼭.

항구에 도착했을 때, 내 손에 들려 있는 건 너의 시계였다. 그 시계를 꼭 쥐었다. 내가 할 수 있는 마지막 욕심이라 생각하고 싶었다.

수평선을 보며 생각했다. 너와 만날 다음 날을. 과연 우리가 또다시 볼 수 있게 될까. 난 정한을 사랑했다. 어쩌면 현재진행형일 수도 있다. 뜨는 해를 보며 하느님께 마지막 소원을 빌었다.

기적이 일어나게 해주세요. 그의 기억 속에 최대한 오래도록 제가 남아있게. 그렇게만 해주세요.

0

눈을 떴을 땐, 선우진은 내 옆에 있지 않았다. 놀란 마음에 서둘러 자리에서 일어났으나 이내 제자리에 앉았다. 그냥…. 문득 선우진이 떠났다는 생각이 먼저 들었다.

작은 책상 위에 올려진 무언가를 보았다. 그것을 집어 들었다. 작은 쪽지 같았다. 알 수 있었다. 선우진이 남기고 간 것이라는 것을. 솔직히 아직도 믿지 못하겠다. 선우진과 내가. 그러니 우리가 다시 만날 수 있다는 말을.

서로에 대해서 많은 것을 알고 있다고 생각했는데. 정작 내가 선우진에 대해서 알고 있는 것은 없었다.

그 무엇도. 선우진을 찾을 수 있는 것은 없다.

흔들의자에 앉아 하염없이 바다를 보았다. 선우진과의 첫 만남이 떠올랐다. 예뻤다. 고양이 같은 눈과 맑은 눈동자, 날렵한 코와 앵두 같은 입술. 콕콕 박혀있는 점들. 그 어느 것도 잊을 수 없었다.

어제, 그 골목길에서 선우진과 나는 서로를 놓칠까 봐 무서워 하염없이 안았다. 빈틈없이 서로를 탐했다. 우리의 옷은 빗물과 서로의 눈물로 물들었다.

가만히 손을 들여다본다. 그리고 옆자리를 본다. 그곳에 있던 선우진은 이제 없다. 내 기억 속에만 존재할 뿐이다.

네가 없어도 오늘의 해는 뜰 것이고 오늘의 달은 피어나겠지. 그리고 옥탑방 주인아주머니의 가게는 문을 열 것이고 옥탑방 위에서 우리가 같이 가꾸던 방울토마토도 자라겠지.

모든 게 그 자리 그대로 있다. 너와 나만 빼고. 어쩌면 나 혼자일수도 있다. 하지만 두렵지 않다. 너와 한 약속을 꼭 지켜야 하니까.

나의 목표가 생겼다. 꿈이 생겼다. 꿈을 향해 달려간 너를 위하여. 다시 만날 우리를 위하여. 나는 또 숨을 쉰다.

손가락으로 정맥을 짚었다.

두근-. 두근-.

너와 나 같은 하늘 아래에서 똑같은 심장 소리로 살아간다. 그리고 우린 맞닿아 같은 숨을 쉴 것이다. 나의 전부. 나의 뮤즈. 나의 그리움. 나의…. 사랑.

선우진이 남긴 그 쪽지에는.

한아.

나는 삶의 이유가 없어. 그냥 숨이 붙어 있으니 사는 거지. 그러니 내가 그 숨을 끊어버리면 되지. 그 생각으로 살아. 아프진 않아. 누군가가 원망스럽지도 않아. 죽음과 삶, 그 중간에 서 있을 때마다 슬픔보다는 후련함이 컸어. 이 섬에 왔을 때도 죽음. 그거 하나만

믿고 온 거 같기도 해. 근데 말이야. 이 섬에서 너를 만나고 너랑 숨을 쉬고. 밥을 먹고. 심장이 뛰니까. 너에게 닿은 그 모든 날이 산소호흡기 같았어. 근데 나 사실, 아직도 영원을 믿지 않아. 운명 같은 건 없다고 생각해. 그래서 너한테 다시 만날 거라고 말할 자신이 없어. 나도 못 믿겠거든.

한아, 그래도 너만큼은 운명을 믿어줘. 우리가 만날 거라고 굳게 믿어줘. 내가 저 멀리 있어도 흔들리지 않도록. 네 이름을 부를 때면 괜히 가슴이 아파. 무언가 잃어버린 사람처럼 울부짖게 돼. 근데 왜일까. 그런데도 너의 이름을 계속해서 부르게 돼. 그 그리움이 정말 내가 살아있는 것처럼 느끼게 해주거든.

난 말이야. 지중해 바다가 보이는 집에서 살고 싶어. 복숭아나무가 열리고 해변에서는 사람들이 낭만을 즐기고 있고. 난 반짝이는 나뭇잎에 널려있는 큰 나무 밑에서 그 향기를 즐길 거야. 그 꿈속에는 온통 너와 함께야. 너의 손을 잡고 너의 빗장뼈를 만지고. 너의 눈썹뼈를 훑으며 살고 싶어. 한아, 누구나 인생에 딱 한 번, 찬란한 사랑을 한 대. 널 바라보는 순간이 기적이었고 넌 나의 구원이었어. 그러니까 우리 다시, 부디 다시 만나. 네가 준 따뜻함을 한 아름 들고 너를 기다릴게. 그땐 진짜 사랑을 속삭여 보자. 사람의 기억 중에 목소리가 가장 빨리 잊힌대. 그러니까 그때가 되면 사랑한다고, 좋아한다고. 내가 잊지 않을 정도로 많이, 하염없이 말해줘.

네 시계는 내가 가져갈게. 가져가 놓고서 하는 말이라 웃길 수도 있는데. 네가 그랬잖아. 그 낡은 싸구려 시계가 뭐가 좋냐고. 근데 나한텐 이게 선물이고 생명줄이야. 네 이니셜이 박힌, 겉은 낡았어도 시계 침은 힘차게 돌아가는 시계가. 살아있는 걸 느껴. 우리가 함께하고 있다는 게 느껴져. 고마워, 너의 시간을 허락해줘서.

한여름 밤의 꿈이라고 해도 좋을 것만 같아. 나와 미래를 꾸려나갈 너를. 웃으며 마지막을 함께 할 너를.

어쩌면 사랑보다 더. 사랑 그 이상의 것을.

부디 우리의 다음 계절은 화창하고 시원하고. 턱없이 아름다워 모든 순간이 빛날 수 있기를 바라.

한아, 좋아해. 너의 목소리가 나의 마지막 기억이 되기를.

선우진의 사랑해가 담겨있었다.

0

수평선 너머의 곳을 본다. 바다는 너를 닮아있다. 파도는 우리를 닮아있다. 어딘가 불완전하고 엉성하며 안전하지 않은. 그러나 우리는 닿아있다. 서로가 있기에 완전한 것이 된다.

나는 이제 너 없이도 너를 좋아할 수 있다는 말을 이해할 수 있게 되었다. 네가 없더라도 우리는 있다. 함께이진 못해도 분명히 존재한다.

어떤 사랑은 우정 같고, 어떤 우정은 사랑 같다. 우린 우정일까, 사랑일까. 그것이 무엇이더라도 난 우리를 믿는다. 우리의 사랑을, 우리의 우정을, 우리의 무엇을.

나는, 너는, 우리는. 그렇게 피어났다.

추신

당신은 비 내리던 그 골목길을 기억하시나요

투둑투둑 내리는 빗방울 소리와
끈적했던 숨소리와
느리게 두근거리던 심장 소리를 기억하시나요

태양보다 뜨거웠고
바다보다 넓었던 사랑을
속삭였던 그때를 기억하나요

밖에 비가 내립니다
비가 내린다는 이유만으로
나는 또 어김없이 당신을 생각합니다

가진 거라곤 지폐 몇 장과 낡은 노트북뿐입니다
텁텁한 그 비 내음을 맡으며 약속했던 사랑을 떠올립니다

당신은 잘살아가고 계시는가요

저는 오늘도 당신에게 전해지지 않을 편지를 씁니다

부디 행복하시길 바랍니다

2023.10.17. 00:32

화 양 연 화

花 樣 年 華

〈 에필로그 〉

✿

진아, 오늘 배달 온 꽃들 좀 정리 부탁해.

네!

화창한 날씨. 따뜻한 햇살. 꽃들이 피어나며 큰 창문 밖이 알록달록한 세상. 꽃들의 이름과 꽃말을 정리하는 선우진. 커피 기계를 가동하시고 계신 사장님. 눈을 비비며 아침을 만끽하고 있는 고양이들과 울어대는 새소리.

선우진은 책꽂이를 살펴보다 한 LP를 꺼내 턴테이블을 켰다. 90년대 재즈가 울려 퍼지면 선우진의 하루가 시작된다. 카페 정직원이 된 후, 카페를 가꾸는 것이 선우진의 유일한 낙이다.

달랑-.

어서 오세요. 경쾌한 인사와 함께 선우진의 얼굴에는 미소가 퍼졌다.

오랜만에 오시네요. 오늘은 어떤 거로 준비해드릴까요?

시원한 캐모마일 하나 부탁드려요. 요즘 바빠서 여기 올 시간도 없네요.

울상을 보이며 계산을 한 선우진은 얼른 준비해드리겠다는 말과 함께 분주히 손을 움직이기 시작했다. 따뜻한 물을 스팀 피처에 담고 티백을 넣어 우려준다. 곧 스푼으로 티백을 저어주곤 얼음이 담겨있는 컵에 담아 완성한다.

주문하신 캐모마일 티 나왔습니다.

감사합니다.

오늘의 꽃은 응원한다는 꽃말을 가진 노란 안개꽃입니다. 부디 모든 것을 이루어 내시길 응원합니다. 좋은 하루 보내세요.

선우진은 웃으며 감사하다는 인사를 나누며 카페를 나서는 손님께 인사를 드리며 오늘 하루도 무언가 잘 풀릴 것 같다는 생각이 들었다. 사장님께서 이따금 취미로 손님들께 꽃을 선물하는 것을 카페에 콘셉트로 잡는 것이 어떻겠냐는 선우진의 생각으로 꽃 선물은 이 카페에 하나의 문화로 자리 잡았다.

많지도 적지도 않는 손님들과 얌전한 고양이들과 큰 창문들 사이로 보이는 공원의 모습까지 그 무엇 하나도 평화롭지 않은 것은 없었다.

요즘은 어때?

어떤 거요?

그냥 사는 거 말이야.

음…. 거리는 소리와 함께 선우진은 생각에 빠졌다. 이내 창문을
바라보며 입을 열었다.

행복해요. 이렇게 행복해도 되나 싶을 정도로요. 오늘만 바라보고
살다가 요즘엔 내일도 기대돼요. 내일은 손님들께 이런 꽃을 선물해
야지, 이런 음료를 만들어 봐야지. 하구요.

다행이네.

근데 뭔가 비어있는 기분은 여전해요.

그 이상하다는 기분?

네. 분명 다 맞춰져 있는데 뭔가 안 한 기분 같기도 하고.

잃어버린 게 있는 건 아니고?

그런 거 같은데….

입술을 쭉 내밀곤 고민에 빠졌다. 손목에 있는 낡은 시계를 보곤
이내 아! 하는 소리와 함께 자리에서 벌떡 일어나 외쳤다.

영양제를 안 먹었어요!

사장님은 직원실로 뛰쳐들어가는 선우진을 보며 웃어댔다. 분명
어제 막, 이 카페에 들어온 직원인 거 같은데 벌써 4년이란 시간이
지났다. 약을 입에 털어 넣고 나오는 것인지 입안에 공기를 넣은 선

우진을 보곤 시간은 가도 선우진은 여전하다고 생각했다. 5월의 일상적인 아침이었다.

달랑-. 손님이 들어오신 종소리에 황급히 영양제를 삼킨 선우진이 카운터로 뛰쳐나갔다. 선우진의 눈동자는 커진 것 같기도 해 보였지만, 알 수 없었다. 미소를 지으며 손님을 맞이했다.

아이스 아메리카노 한 잔 부탁드립니다.
네, 결제 도와드리겠습니다.

의자에 앉아 잠시만 기다려 주세요. 선우진의 뾰족한 눈매가 한없이 늘어졌다. 커피콩을 갈아 에스프레소를 추출하였다. *우웅-.* 거리는 기계 소리가 카페 안을 채웠다. 이내 고소한 커피 향이 진동했다. 차가운 얼음과 물이 담긴 컵에 에스프레소를 섞곤 작업실 안으로 들어갔다.

야옹-. 고양이가 울어댔고 밖에선 따스한 바람이 창문을 타고 들어왔다.

주문하신 아이스 아메리카노 나왔습니다.

창문 앞에 앉아 있던 남성은 자리에 일어나 의자를 집어넣었고 천천히 카운터 쪽으로 걸어왔다. 그 남성의 손에는 꽃다발이 들려

있었다.

오늘의 꽃은….

선우진의 눈에선 눈물이 흘렀다. 선우진의 미소는 떠나지 않았다. 숨이 가쁘게 쉬어져 말도 잘 나오지 않았다. 선우진은 눈을 벅벅 닦아내곤 숨을 몰아쉬었고 말을 이어나갔다.

믿음을 뜻하는…. 스토크입니다.
…
부디…, 영원한 사랑을 하시길 바랍니다.

선우진은 남성의 눈을 바라보았고 이내 함박웃음을 보였다. 그 낡은 시계 그만하고 다니지……. 남성이 중얼거렸다. 남성은 손을 내밀어 선우진의 볼을 닦아주었다. 그리곤 감사하다며 웃어 보였다.
그리곤 한쪽 손에 들려 있는 꽃을 내밀었다.

당신에게 주는 첫 번째 선물입니다. 사랑의 고백이라는 꽃말을 가진 튤립이에요.
……
당신을 사랑합니다.

선우진과 정한은 한참을 바라보았다. 꿈일까, 환영일까 두 손을 놓지 못했다.

아직 다 떠오르지 않은 해와 출근하는 사람들. 교복을 입곤 뛰어가는 학생들. 모든 게 평범했다.

너무 늦게 온 건 아니지?
아니야. 딱 맞게 왔어. 와줬어, 네가.
보고 싶었다고 말해도 될까.
응. 많이. 계속 말해줘.

사랑해. 많이. 보고 싶었어. 다 포기하고 싶을 만큼. 근데 견뎠어. 너를 보기 위해서.
나도 많이….
선우진, 지금의 넌 어때? 행복해?

선우진은 한 치의 망설임도 없었다. 고민은 시간 낭비일 뿐이었다. 한시라도 빨리 마음을 전해야 했다. 그래야만 했다.

응. 행복해. 정말로, 너무 행복해. 네가 있어서 살아있음을 느껴. 네가 있어서 내가 살아. 내가 숨 쉴 수 있어.

한아.

응, 선우진.

한아.

응, 여기 있어. 네 옆에.

사랑해.

봄의 한 자락이었다. 그리 특별한 날도 아니었고, 기적도 아니었다. 모든 게 정상 범위에 속해있었고 그들도 마찬가지였다. 청춘이었기에 그 청춘에 살아있었기에 모든 것이 가능했다.

그들의 인생에서 가장 아름다운 시절이었다.

초여름의 시작을 알리는

6월

글 마침.

만 개

滿 開

〈 작가의 말 〉

작가의 말

『 만 개 』

잊힌 이들의 이야기를 쓰고 싶었습니다. 우리의 주변에 분명히 존재할 사람들이지만, 우리는 자신의 인생을 살아내는 것만으로도 벅차 망각하고 있는 존재들이요. 이 소설을 쓰면서 스쳐 지나간 수많은 사람들을 떠올렸습니다. 당장 내일 어떠한 사람을 만날지, 그 사람과 어떤 인연이 될지는 아무도 모르는 일이니까요. 우리는 하루도 빠짐없이 성장해가고 있습니다. 그리고 우리는 아직도 사랑과 우정을 구분하지 못합니다. 어쩌면 사랑이었을 수도 하는 우정이 있을 것이고, 어쩌면 우정이었을 수도 하는 사랑이 있는 것처럼 말입니다. 저는 그것을 굳이 구분하지 않으려고 합니다. 사람도, 사랑도, 나도. 제 인생에선 너무나 중요한 존재니까요.

책을 쓸 때면 항상 마지막을 먼저 생각해두고 글을 쓰는 버릇이 있습니다. 마무리가 잘 지어져야 완벽한 글이 완성된다고 생각했습니다. 이 책은 그 고정관념을 버려준 글입니다. 이 글을 쓸 땐, 도입 부분만 생각하고 글을 시작하였습니다. 찢어지게 가난한 주인공과 모든 것을 다 가졌으나 결핍에 둘러싸인 사람의 이야기. 그들이 그려내는 결핍에 관해서 쓰고 싶었습니다. 결핍이 있는 두 사람의 사랑을, 성장을요. 그리고서 하나씩 채워나갔습니다. 쓰고 싶은 이야기, 전하고 싶은 이야기를. 구태여 말하자면 이 책은 저의 욕망일 지도 모르겠습니다. 그 가난한 사랑을 동경하는 것일지도 모르겠어요. 그저 선우진과 정한과 같은 사람들의 이야기를 꼭 한번 쓰고 싶었습니다. 완벽하지 않은 글이라고 생각할 수도 있지만 전 이번 글이 참으로 마음에 듭니다.

이번 책은 작가의 말에 어떤 말을 써야 할지 잘 모르겠습니다. 분명 쓰고 싶었던 말이 있었는데 그게 무엇인지 잘 기억 나지 않습니다. 기억이 나지 않는 이유는 분명히 존재하겠지요. 그래서 굳이 생각해내려 하지 않았습니다. 그저 지금 당장 생각나는 말을 속삭여 봅니다.

아마 이 소설의 뒷이야기는 나오지 않을 것 같습니다. 선우진도, 정한도 아마 뒷이야기가 행복한 결말일지, 슬픈 결말일지 모를 겁니다. 이 책의 저자인 저마저도요. 제가 이 소설의 끝을 정하는 건 이 책의 주인인 선우진에게 예의가 아닌 거 같아서요. 선우진과 정한은 계속해서 성장해나가리라 생각합니다. 그래서 저는 기다리려 합니다. 언젠가 저의 꿈속에 나와 어떤 일을 했고, 어떤 삶을 살았는지 이야기해 줄 그때까지요. 그때가 되어 진이 저를 찾아와준다면 그때 다시 찾아뵙도록 하겠습니다.

책을 쓰다 보면 감정 소모가 심해집니다. 이 책을 쓰면서 더욱 그러했습니다. 우울과 자살, 가난, 사랑. 너무나 어려운 소재였으니 말이지요. 점점 지쳐가는 저를 만났습니다. 그래서 감정이 심하게 격해지는 날이면 shoon의 '내 꿈은 당신과 나태하게 사는 것'이라는 노래를 듣곤 했습니다. 4분 남짓 되는 길다면 긴 노래이겠지만, 나의 꿈은 무엇일까 생각하는 시간이 되었습니다. 그래서 글에 그런 부분이 묻어났을지도 모르겠습니다.

꽤 오랜 시간 동안 이 책을 붙잡고 있었습니다. 끝을 정리하지 못해 헤맨 시간이 길지요. 처음부터 다 뒤집어버리고 싶다는 생각에 잠겨 헤어나오지 못했습니다. 우여곡절 끝에 마침내 글을 완성하였습니다. 그리고 이 글이 세상 밖으로 나왔습니다.

이 소설엔 사계절이 나옵니다. 사람들은 잊을 수 없는 계절이 있다며 첫사랑을 소개하곤 합니다. 하지만 저에겐 사계절이 있습니다. 숨이 잘 쉬어지지 않았던 봄, 한없이 뜨거웠던 여름, 엇갈린 낙엽이 떨어지던 가을, 마지막 인사를 나눴던 겨울. 그리고 다시 봄. 그 봄을 저의 젊음이라 설명하려 합니다. 단 한 번도, 그 아이에 대한 글을 쓰지 않았습니다. 못했다고 하는 것이 더 맞을지도 모르겠습니다. 아마 이후에도 그 아이의 기억을 글로 펴내진 못할 듯합니다. 제 추억 속에서 그 아이는 계속해서 미화될 테니 말이에요.

그래서 서툰 사랑을 그려보고 싶었습니다. 꼭 나의 경험을 풀어내는 것이 아닌 어쩌면 한 번쯤은 겪어봤을 그런 서툰 감정을요. 이 글의 중점은 딱히 없습니다. 읽는 사람에 따라 사랑일 수도 있고, 성장일 수도 있겠지요. 그것이 제가 표현하고 싶었던 글입니다. 심심풀이로 읽을 수 있는 글이었으면 합니다. 글을 읽으시면서 많은 생각을 꺼내 보셨으면 좋겠습니다.

저도 행복은 잘 모릅니다. 알지만 설명하지 못하는 것일 수도 있겠지요. 어쩌면 정말 알지 못해서 모른다고 하는 것일 수도 있어요. 비록 행복이라는 것은 잘 모르지만, 제가 숨 쉬고 있다는 것이, 글을 읽을 수 있다는 것이, 글을 쓸 수 있고, 그 글이 누군가의 마음을 움직일 수 있다는 것이. 그리고 사랑한다는 감정과 좋아한다는 감정. 싫어한다와 경멸한다는 감정 모두를 느낄 수 있음에 즐겁습니다. 엄마, 아빠의 작은 딸로 태어나 심장이 뛰며 살아갈 수 있어 오늘도 행복하다고 외쳐봅니다.

그래서 전 오늘도 살아갑니다. 살아있음에 감사함을 느끼며, 누군가를 사랑하며, 다음 생을 기도하며.

김현아라는 사람이 기억되기를 소망하며.

2024.06.09.

김현아

始發 비로소 피어나다

발　행 | 2024년 07월 08일
저　자 | 김현아
펴낸이 | 한건희
펴낸곳 | 주식회사 부크크
출판사등록 | 2014.07.15.(제2014-16호)
주　소 | 서울특별시 금천구 가산디지털1로 119 SK트윈타워 A동 305호
전　화 | 1670-8316
이메일 | info@bookk.co.kr

ISBN | 979-11-410-9368-6

www.bookk.co.kr